Christ Church
KT-211-333

$8^{1/2}$

Du même auteur

chez le même éditeur

La Strada
(scénario bilingue)
collection Point-Virgule, 1996

Faire un film
(essai)
collection Point-Virgule, 1996

Federico Fellini

$8^{1/2}$

Scénario bilingue

Présenté et traduit de l'italien
par Jean-Paul Manganaro

Ouvrage publié avec le concours
de la Commission européenne

Éditions du Seuil

COLLECTION DIRIGÉE PAR NICOLE VIMARD

Ouvrage publié avec la collaboration de Martine Van Geertruyden

Titre original : *8½*
Scénario de Federico Fellini

Éditeur original : L. Capelli, Bologne, 1963

Photos de scène : Paul Ronald et Tazio Secchiaroli
Toutes les illustrations sont reprises de l'édition allemande.

ISBN : 2-02-023535-8

PRÉSENTATION

Précédé et entouré de légende, *8½* est présenté sur les écrans en 1963, au bout de plusieurs mois de tournage, et sa sortie, au lieu d'estomper les halos de cette légende, ne fait que les accroître. Par rapport aux autres films du metteur en scène, par rapport à d'autres qui l'entourent à la même époque, celui-ci a d'autres particularités : le titre, dans sa simplicité même, laisse déjà ressortir quelque chose qui ne saurait être exprimé différemment, et inclut à la fois une raison spécifique – il s'agit bien du huitième film de Fellini, plus le demi tourné avec Lattuada au début de sa carrière – et une condition d'impertinence littéraire et cinématographique – il s'agit bien d'une série de clichés comme il en existe tant, sans autre spécificité que celle de flotter entre le convenu et l'inattendu.
La matière réelle du film, ce dont il est constitué, est convenue : de quoi s'agit-il ? D'un homme tranquillement malade ? De la difficulté de gérer une pensée qui crée ? De l'analyse sensible de ce qui, dans notre entourage, ne cesse de nous modifier et de nous *obliger* ? D'une simple histoire de mariage et de ménage qui fout le camp ? Il y a tout cela, bien entendu, et si

nous devions à tout prix choisir dans le film ce qui peut en être le noyau, c'est vers la description de la crise maritale que nous nous retournerions en premier, puisque c'est à partir d'elle, de son inexpressivité même, que naissent les enchaînements successifs d'impossibilité expressive apparente. Ce qui est inattendu, par contre, c'est la réponse que l'auteur donne aux diverses questions qui se posent, du point de vue formel d'abord, puis du point de vue de l'espace narratif : c'est sans doute la première fois qu'un film n'explique pas, par des moyens convenus, l'histoire qui le travaille. Il y a, en cela, une réponse offensive aux conditions posées par le néoréalisme – dont l'histoire se trouve à l'arrière-plan du film – ainsi qu'un début de réponse à la comédie à l'italienne, en train de se constituer en ces mêmes années de « miracle italien ».

En réalité, aucune réponse n'est donnée aux questions posées : ce sont ces dernières qui prennent la parole, et la parole n'arrête pas d'élargir les questions, de les multiplier en cascade, par des enchaînements auxquels on peut trouver une logique, mais une logique qui reste toujours intime, secrète, faite d'enchevêtrements mentaux étranges, opaquement perceptibles, poétiques. Le film travaille et s'élabore autour des rendus de la sensibilité bien plus qu'autour des réductions logiques. Ce serait même le contraire d'une série de catégorisations : il n'y a pas plus de lecture psychanalytique que de lecture politique ou psychologique ou factuelle ; alors qu'il y a la puissance motrice d'une cérébralité montrée dans ce qu'elle a d'attendrissant – et d'attendri – au tournant de chaque image, de chaque mot. Dans ce sens, si Pirandello montre un théâtre dans le théâtre, c'est Fellini qui mène à bien la même entreprise dans le cinéma, donnant à voir, dans tous les sens du mot, le « comment se faire du cinéma », avec une grâce qui exclut la pesanteur des réflexions.

Mais il y a autre chose qui exsude immédiatement de la pellicule : comment regarder cette époque et ses façons sans montrer qu'on l'aime de toutes ses forces, qu'on l'aime jusqu'au point de s'y perdre. Voilà ce qui passe en force, qui charrie le reste sur son passage : faire avec ça, même si ça vous détruit, puisque de là seul peut renaître quelque chose ; « Aider à enterrer pour toujours ce qu'il y a en nous de mort », dit le protagoniste.

Du coup, les questions posées péremptoirement – maladie, pensée créatrice, confrontations de sensibilités, rapports amoureux ou réseaux affectifs – restent dans l'attente d'une réponse inlassablement différée, qui ne viendra jamais recouvrer son état de réalité, sinon à travers d'impalpables situations de regards et de corps placés dans l'ensemble des figurations et des expressions possibles : les grandes scènes sont prises en charge non par des résolutions d'auteur, mais par des glissements, des flottements de gens, par des murmures qui se croisent. En ce sens, grâce à l'orchestration puissante des corps, des expressions et des paroles, grâce à un grand nombre de situations qu'il cite, ce film finit par décrire – et non par témoigner –, de la manière la plus légère, la douceur parfumée et rêveuse de tout un corps social, peut-être en crise, mais qui essaie d'appréhender une entente collective à travers une nouvelle découverte de l'individualité : recomposer l'unité de ses fragments, comme pourrait le dire le poète Mario Luzi.

*

* *

C'est donc, aussi, la description d'une Italie encore jamais vue, bien qu'elle continue de faire apparaître en elle des traces impériales et fascistes : aux divers misérabilismes proposés par tous les états du néoréalisme, aux fastes viscontiens d'une tradition cinématographique qui décrit ce qui est révolu et désormais en échec, Fellini oppose le dessin linéaire et rationnel d'une Italie nouvelle, non miraculée – au sens où elle n'a rien à voir avec d'autres modèles, surtout pas le modèle américain ; Rossellini avait fait cette tentative avec *Europe 51*. Fellini montre une Italie nouvelle, créatrice d'une architecture capable de récupérer avec harmonie son passé Renaissance, en le débordant : à l'intérieur comme à l'extérieur, clarté et grandeur des espaces de la ville, de l'ancienne maison dans la campagne, de la station thermale, du champ où se dresse la tour de l'astronef, grandeur du provincialisme de la petite gare. A cette clarté et grandeur correspondent la clarté et la beauté de la pellicule encore en noir et blanc, assombrie ou surexposée, traversée de tous les gris possibles, dont la luminosité éclate en pluie de poudre de riz. Et cette couleur-là est digne, à son tour, de recevoir et d'être le support de tant de beauté humaine dispersée dans le film : au-delà d'un Mastroianni capable de refléter cette harmonie, Fellini entonne un véritable hymne à l'éternel féminin, dans sa forme la plus simple et la plus poétique, c'est-à-dire qu'il donne à voir tous les états de la beauté. Beauté puissante, hellénique, de Caterina Boratto, raffinée de Madeleine Lebeau, lunaire de Barbara Steel, beauté fragile et anxieuse d'Anouk Aimée, miraculeuse et mythique de Claudia Cardinale, adorable et drôle de Sandra Milo, moyen-âgeuse de la grand-mère, beauté mesquine de la mère, horrible de la sainte, logique de Rossella Falk, innocente d'Edy Vessel, tellurienne et torve de la Saraghina, beauté panachée et flétrie de la danseuse, jusqu'à la beauté hiératique d'un état éternellement féminin du cardinal : c'est d'abord cette beauté qui est décrite, parallèlement à celle d'une Italie qui se compose secrètement.

A sa manière, *8½* retrace le voyage d'un Ulysse, le voyage d'un Dante à la recherche – au milieu du chemin de la vie – non pas d'une vérité, mais plutôt d'un assemblage possible des expériences, de leur relance, de leur remise en jeu. Les différents noyaux du film harmonisent des ensembles de désirs qui s'expriment à travers des cérémonies, individuelles et sociales : la maladie et comment s'en sortir, les méandres de la pensée créatrice qui bute contre son apparente impuissance, les sensibilités prises dans l'amour de soi et des autres ne simulent plus alors des interrogations de l'être, mais s'expriment par des mises en scène cérémonielles, à travers les personnes qui, à la fin, deviennent de « très douces créatures ». Ce sont les cérémonies qui permettent aux arcanes d'un monde antique, sentimental et secret, de traverser un présent en devenir, saisi dans l'ensemble mystérieux d'autant de petites sensations, dont chacune se condense, gonfle comme un orage.

Jean-Paul MANGANARO

$8\,^{1}/_{2}$

LA SCENEGGIATURA

Questa sceneggiatura, che vorrebe dare, sia pure in grosso modo, il senso del film, per me ha il valore di una serie di appunti provvisori per iniziare la preparazione e l'organizzazione del film.
Come è mia abitudine, man mano che il lavoro di preparazione procede, mi riservo di rivedere, precisare, cambiare e sostituire scene, personaggi, arricchire situazioni, determinare il ritmo del film, i dialoghi, il clima a volte comico, a volte angosciato, a volte stupefatto della storia.

F. F.

LE SCÉNARIO

Ce scénario, qui souhaite rendre, même approximativement, le sens du film, n'a de valeur pour moi qu'en tant que série provisoire de notes initiales pour la préparation et l'organisation de celui-ci.
Comme il est dans mes habitudes, au fur et à mesure que le travail de préparation avance, je me réserve de revoir, de préciser, de changer, de substituer des scènes, des personnages, d'enrichir des situations, de déterminer le rythme du film, les dialogues, le climat tantôt comique, tantôt angoissé, tantôt surprenant de l'histoire.

F. F.

Via di città. Esterno. Giorno.

1-29

Guido è al volante di un'automobile quasi ferma. Oltre il parabrezza la visuale è praticamente chiusa da infinite altre automobili di ogni tipo, quasi ferme esse pure.
Guido guarda attorno : a destra, a sinistra, dietro, non si vedono che macchine, in un intasamento inestricabile.
A pochi centimetri dal volto di Guido, nella macchina che sta ferma sul fianco della macchina sua, c'è il volto di un altro uomo ; un volto ignoto, di un signore di mezza età, dai tratti duri, rasato di fresco, con piccoli occhi indecifrabili dietro le lenti.
I due si fissano a lungo, in silenzio, attraverso i cristalli delle macchine, ciascuno dei due come guardando uno strano pesce al di là del vetro di un'acquario : non c'è nessuna luce di solidarietà o simpatia nel reciproco sguardo, piuttosto un raggelante senso di odio per la

Rue de ville. Extérieur. Jour.

1-29

Guido est au volant d'une voiture prise dans un embouteillage. Au-delà du pare-brise, le champ visuel est presque entièrement fermé par d'innombrables autres voitures de toutes sortes, coincées elles aussi. Guido regarde autour de lui : à droite, à gauche, derrière, on ne voit que des voitures, dans un embouteillage inextricable.
A quelques centimètres du visage de Guido, dans la voiture qui se trouve arrêtée juste à côté de la sienne, il y a le visage d'un autre homme ; un visage inconnu, d'un monsieur entre deux âges, aux traits durs, rasé de frais, avec de petits yeux indéchiffrables derrière ses lunettes.
Les deux hommes se fixent longuement, en silence, à travers les vitres des voitures, comme s'ils regardaient l'un et l'autre un étrange poisson au-delà du verre d'un aquarium : il n'y a aucune lueur de solidarité ou de sympathie dans leur regard réciproque,

forzata e fastidiosa vicinanza. Guido distoglie lo sguardo, lo volge davanti a sé nella macchina che gli sta davanti, al volante c'è una donna. È spettinata, con abiti trasandati, sta ritoccandosi il trucco allo specchietto retrovisivo. Guido cerca di vederne il volto, e quel volto appare per qualche istante nello specchietto ; un volto flaccido, vecchio, patetico e nella sua irrimediabile repulsività.
La donna ha visto, nello specchietto, il volto e lo sguardo dell'uomo ; stringe gli occhi miopi cercando, per un attimo, lo sguardo di lui nello specchio ; poi si ritrae.
Nell'automobile sull'altro lato stanno due uomini, uno vecchio e uno giovane, che parlano, parlano animatamente, come non si fossero resi conto della situazione ; un discorso lungo, per loro importantissimo, e misterioso, che li isola completamente da tutto il resto.
Dietro, in una grande auto nera arredata all'interno come un salotto, si intravede, mollemente sdraiata sul sedile posteriore, una bella donna, seminuda, dalle forme opulente, intenta a ricoprirsi il vasto seno bianco con le piccole mani affusolate. Tiene gli occhi abbassati ed ha sulle labbra un sorriso vagamente malizioso.
Suoni di clakson incominciano a levarsi qua e là, in una protesta talmente inutile da sembrare piuttosto una invocazione di aiuto. Guido abbassa il cristallo

mais plutôt un sentiment glacial d'hostilité né de leur proximité forcée et désagréable. Guido détourne les yeux et regarde devant lui ; dans la voiture qui le précède, il y a une femme au volant. Ses cheveux sont en désordre, ses vêtements négligés ; elle est en train de retoucher son maquillage dans le petit miroir du rétroviseur. Guido essaie d'apercevoir son visage, et celui-ci apparaît pendant quelques instants dans le miroir : un visage flétri, vieux, pathétique, suscitant un sentiment de répulsion irrémédiable.

La femme a vu, dans le miroir, le visage et le regard de l'homme ; elle plisse ses yeux de myope en cherchant, un instant, à croiser le regard de celui-ci dans le miroir ; puis elle se détourne.

Dans l'automobile placée de l'autre côté se trouvent deux hommes, l'un âgé et l'autre plus jeune, en train de parler ; ils parlent avec animation, comme s'ils ne s'étaient pas rendu compte de la situation ; une longue conversation, très importante pour eux, et mystérieuse, qui les isole complètement de tout le reste.

A l'arrière, dans une grande voiture noire dont l'intérieur est décoré comme un salon, on entrevoit, mollement étendue sur la banquette arrière, une belle femme, à demi nue, aux formes opulentes, essayant de recouvrir sa vaste poitrine blanche de ses petites mains fuselées. Ses yeux sont baissés, et elle a sur les lèvres un sourire vaguement malicieux.

Des sons de klaxon commencent à s'élever ici et là, mais cette protestation est tellement inutile que cela ressemble plutôt à un appel à l'aide. Guido baisse

del finestrino, cercando di vedere uno spiraglio di uscita.
Gli altissimi palazzi vetrati che costeggiano la strada sembrano muraglioni invalicabili serranti il fiume congelato di automobili da cui la strada è ricoperta a perdita di vista. I suoni di clakson si fanno più forti e si moltiplicano. Anche Guido, ritraendosi nell'interno della sua macchina, incomincia, irragionevolmente, a suonare ; una espressione di angoscia gli sta dipinta sul volto ; un'ansia di liberazione, di fuga...
Suona sempre più forte, sempre più a distesa, e la stessa disperata protesta si leva ora da tutte le macchine in un lacerante, discorde, generale concerto di suoni, per tutta l'infinita e larga strada.
Gli occhi di Guido, che continua a suonare sempre più disperatamente, si sono fissati sulla fessura sottilissima rimasta aperta tra il vetro e la cornice dello sportello ; una fissità allucinata, intensissima...
E, come se l'essenza stessa dell'uomo si fosse concentrata in quello sguardo verso l'evasione, ecco vaporare attraverso la sottile fessura tutto il corpo del protagonista, che lentamente si libra nell'aria sopra la distesa dei lucenti tetti metallici delle macchine, e si solleva poi rapidamente in alto.
Quasi subito le automobili serrate le une contro le altre, i grandi palazzi vetrati e il disperato concerto dei clakson, svaniscono come in un profondo abisso.

la vitre de la portière et cherche une possibilité d'issue.
Les très grands immeubles vitrés qui longent la rue semblent des murailles infranchissables enserrant le fleuve gelé d'automobiles qui s'étend à perte de vue.
Les sons de klaxon se font plus forts et se multiplient.
Guido, lui aussi, se retirant à l'intérieur de sa voiture, commence, déraisonnablement, à klaxonner ; une expression d'angoisse est peinte sur son visage ; un désir anxieux de délivrance, de fuite…
Il klaxonne de plus en plus fort, de plus en plus longuement ; et la même protestation désespérée s'élève maintenant de toutes les voitures, dans un concert de sons général, déchirant et discordant, sur toute la largeur de la rue, à l'infini.
Les yeux de Guido, qui continue à klaxonner de plus en plus désespérément, se sont fixés sur la fente extrêmement mince qui est restée ouverte entre la vitre et l'encadrement de la portière ; une fixité hallucinée, très intense…
Et, comme si l'essence même de l'homme s'était concentrée dans ce regard vers l'évasion, voilà que le corps tout entier du protagoniste s'échappe à travers cette fine fissure ; il plane lentement dans l'air, dominant l'étendue brillante des toits métalliques des voitures, puis s'élève rapidement.
Presque aussitôt les automobiles serrées les unes contre les autres, les grands immeubles vitrés et le concert désespéré des klaxons s'évanouissent comme dans un profond abîme.

Il protagonista vola tra cielo e terra, altissimo, con slancio felice e liberato. Un forte vento lo porta ; egli a tratti gli si abbandona planando, poi si risolleva più in alto, con un semplice colpo di tallone. Sotto di lui, lontano, scintilla la distesa del mare verso il quale egli sembra irresistibilmente attratto ; un'attrazione fatta di desiderio e insieme di improvvisa paura, quasicché egli temesse di precipitarvi.
E infatti qualcosa incomincia a turbarlo ; l'empito di felicità che lo trascina si sta trasformando in un'oscura inquietudine ; egli si accorge di avere la gamba legata ad una funicella, che gli impedisce di levarsi in alto, e in un certo modo lo guida.
Sempre lottando per resistere a questa trazione, Guido volge lo sguardo in basso, seguendo il lunghissimo filo che lo collega alla terra e laggiù in fondo, piccolissimo sulla spiaggia del mare, vede un uomo che tiene il capo della funicella e con questa regola il volo di lui, come se fosse un aquilone.
È un uomo vestito di una stretta maglia verde da capo a piedi, con un cortissimo mantello dal bavero molto alto, e uno strano casco : sembra un personaggio di un romanzo di fantascienza.
Dietro di lui, nel limitare del bosco, c'è un uomo a cavallo, in abito da principe medioevale.
Ora costui trae verso il basso con più forza il protagonista, che resiste sempre più atterrito all'imminente caduta verso la distesa del mare.

Le protagoniste vole entre le ciel et la terre, très haut, en un élan de bonheur et de libération. Un grand vent le porte ; par moments, il s'abandonne à lui, en planant, puis il s'élève encore plus haut, par un simple coup de talon. Au-dessous de lui, au loin, scintille l'étendue de la mer, vers laquelle il semble être irrésistiblement attiré ; une attraction faite de désir en même temps que de peur soudaine, comme s'il craignait d'y être précipité.
En fait, quelque chose commence à le troubler ; l'élan de bonheur qui l'emporte est en train de se transformer en une obscure inquiétude ; il se rend compte qu'une de ses jambes est attachée à une ficelle qui l'empêche de voler plus haut et qui, d'une certaine façon, le guide.
Sans cesser de lutter pour résister à cette traction, Guido tourne son regard vers le bas, suivant le très long fil qui le relie à la terre : là-bas, au fond, tout petit sur la plage, il voit un homme qui tient le bout de la ficelle et qui règle son vol à l'aide de celle-ci, comme s'il était un cerf-volant.
C'est un homme habillé d'un étroit tricot vert qui l'enserre de la tête aux pieds, avec un très court manteau au col très haut, et un casque étrange : on dirait un personnage de roman de science-fiction.
Derrière lui, à la lisière de la forêt, se tient un homme à cheval, habillé en seigneur du Moyen Age.
A présent l'homme tire vers le bas avec plus de force le protagoniste, qui résiste, de plus en plus effrayé par l'imminence de sa chute dans la mer.

Si abbassa, si rialza, si riabbassa, perde l'equilibrio, annaspa nell'aria, si capovolge, e precipita vertiginosamente verso l'acqua che scintilla giù in fondo.

Camera albergo. Interno. Giorno.

30-42

La luce elettrica, accesa bruscamente, risveglia Guido che dorme nel letto.
Con gli occhi appena socchiusi segue per qualche istante i movimenti di una figura femminile.
Una mano che lo tocca lo costringe ad aprire gli occhi e finisce di destarlo ; c'è un giovane, ritto accanto al suo letto. È il medico : sbrigativo, frettoloso, molto sicuro di sé. Gli abbassa il lenzuolo invitandolo a scoprirsi il braccio mentre già sta disponendo l'apparecchio per la misurazione della pressione.

DOTTORE. – Se vuole scoprirsi un momento il braccio…

Guido ancora maldesto, ubbidisce con la premurosa passività cui lo induce questa fredda aggressione scientifica. Il dottore gli serra il braccio nella fascia, siede accanto al letto e gli misura la pressione.

Il s'abaisse, il s'élève, il s'abaisse de nouveau, perd l'équilibre, il se débat dans l'air, se retourne, est précipité vertigineusement vers l'eau qui scintille au fond.

Chambre d'hôtel. Intérieur. Jour.

30-42

La lumière électrique, brusquement allumée, réveille Guido qui dort dans le lit.
Les yeux mi-clos, il suit pendant quelques instants les mouvements d'une silhouette féminine.
Une main qui le touche l'oblige à ouvrir les yeux et le réveille définitivement ; il y a un jeune homme debout près de son lit. C'est le médecin : brusque et expéditif, très sûr de lui. Il tire le drap, l'invitant à découvrir son bras, tandis qu'il s'apprête à placer l'appareil pour prendre sa tension.

LE DOCTEUR. – Donnez-moi un instant votre bras, je vous prie…

Guido, encore engourdi, obéit avec la passivité empressée à laquelle l'incite cette froide agression scientifique. Le docteur lui serre le bras dans la bande, s'assoit près du lit et mesure sa tension.

DOTTORE. – Ecco, grazie. Lo tenga più rilassato.

Sull'altro letto sono sparsi disordinatamente libri, giornali, copioni e mucchi di fotografie.
Guido tende la mano libera verso il tavolino da notte, prendendo l'orologio da polso che vi è deposto e guarda l'ora.
La voce dell'infermiera, ritta ai piedi del letto, lo richiama.

INFERMIERA. – Quanti anni ha, lei, per favore ?

Guido risponde subito.

GUIDO. – Quarantasei.

L'infermiera annota ; il dottore scioglie rapidamente la fascia.

GUIDO *(un po' impressionato).* – È molto bassa... O no ?...
DOTTORE. – Si tolga la camicia, per favore. È la prima volta che fa la cura ?

Guido, sfilandosi la giacca, risponde un po' esitante :

GUIDO. – Sì.
DOTTORE. – Ha avuto malattie gravi ?
GUIDO. – No... Non mi pare... La scarlattina da bambino... Una volta l'itterizia...

LE DOCTEUR. – Voilà, merci. Soyez plus détendu.

Sur l'autre lit sont éparpillés en désordre des livres, des journaux, des scénarios et un tas de photos. Guido tend sa main libre vers la table de nuit, prend sa montre qui s'y trouve posée et regarde l'heure. La voix de l'infirmière, debout au pied du lit, le rappelle.

L'INFIRMIÈRE. – Quel âge avez-vous, s'il vous plaît ?

Guido répond aussitôt.

GUIDO. – Quarante-six ans.

L'infirmière note ; le docteur défait rapidement la bande.

GUIDO *(un peu troublé)*. – Elle est très basse... Non ?...
LE DOCTEUR. – Ôtez votre chemise, s'il vous plaît. C'est la première fois que vous faites la cure ?

Guido, ôtant sa veste, répond avec une certaine hésitation :

GUIDO. – Oui.
LE DOCTEUR. – Vous avez eu des maladies graves ?
GUIDO. – Non... Je ne crois pas... La scarlatine, dans mon enfance... Une autre fois, la jaunisse...

L'infermiera, che ha annotato, dice a Guido, che è rimasto in maglietta.

INFERMIERA. – Anche la maglia.

Guido, dopo una lievissima esitazione, si sfila la maglietta e rimane seduto sul letto a torso nudo.

DOTTORE. – Bè, che ci sta preparando di bello ?

Guido non risponde.

DOTTORE. – Si allunghi.

Guido ubbidisce. Il dottore gli palpa il fegato, ignorando completamente lo sguardo interrogativo che Guido tiene su di lui.

DOTTORE. – Un altro film senza speranza ?

Qualcuno bussa alla porta. Poi subito la porta s'apre ed entra un uomo ancora giovane, coi neri capelli lucidi chiusi come un casco sul volto marmoreo, con chiari occhi di metallo ; è avvolto in una elegante vestaglia e tiene in mano un copione rilegato.
È l'uomo che nel sogno stava a cavallo nel limitare del bosco.

L'infirmière, qui a tout noté, s'adresse à Guido, qui a gardé son gilet de corps.

L'INFIRMIÈRE. – Le gilet de corps aussi.

Guido, après une très légère hésitation, ôte son gilet de corps et reste assis sur le lit, torse nu.

LE DOCTEUR. – Alors, qu'est-ce que vous nous préparez de beau ?

Guido ne répond pas.

LE DOCTEUR. – Allongez-vous.

Guido obéit. Le docteur palpe son foie, ignorant complètement le regard interrogateur que lui adresse Guido.

LE DOCTEUR. – Un autre film sans espoir ?

Quelqu'un frappe à la porte. Puis aussitôt la porte s'ouvre et entre un homme encore jeune, dont les cheveux noirs et brillants se referment comme un casque sur son visage marmoréen, et dont les yeux ont un regard clair métallique ; il porte une robe de chambre élégante et a dans les mains un scénario relié.
C'est l'homme qui, dans le rêve, se tenait à cheval à la lisière de la forêt.

Parla sempre a mezza voce, senza che il suo viso muti espressione, con lo sguardo fisso nel vuoto. È freddo, scostante, sicurissimo di sé. Vedendo il medico e l'infermiera si ferma, dicendo :

CARINI. – Ah ! Torno dopo.

Guido sta per assentire, ma il dottore lo precede.
Guido ubbidisce. Il dottore gli appoggia lo stetoscopio sulla schiena. Carini si è avvicinato all'altro letto. Lascia cadere il copione che ha in mano sul cuscino e raccoglie alcune fotografie, che guarda con aria distaccata.
Lo sguardo di Guido si è fermato sul copione. Alza gli occhi sul volto impassibile di Carini come per indovinarne il pensiero.
Carini ignora quella muta domanda e seguita a guardare altre fotografie.

GUIDO. – Hai letto ?

Carini risponde inalterato :

CARINI. – Sì.

E, infilandogli sotto il naso la fotografia di una donna seminuda, domanda :

CARINI. – Chi è questa ?

Il parle toujours à voix basse sans que son visage change d'expression, avec un regard qui fixe le vide. Il est froid, distant, très sûr de lui. En voyant le médecin et l'infirmière il s'arrête et dit :

CARINI. – Ha ! Je reviendrai plus tard.

Guido va acquiescer, mais le docteur le précède.
Guido se range à son avis. Le docteur appuie le stéthoscope sur son dos. Carini s'est approché de l'autre lit. Il laisse tomber le scénario sur l'oreiller et ramasse quelques photos, qu'il regarde d'un air détaché.
Le regard de Guido s'est arrêté sur le scénario. Il lève les yeux vers le visage impassible de Carini comme pour deviner sa pensée.
Carini ignore cette question muette et continue à regarder d'autres photographies.

GUIDO. – Tu l'as lu ?

Carini répond sans changer d'expression :

CARINI. – Oui.

Et, lui glissant sous le nez la photo d'une femme à moitié nue, il demande :

CARINI. – Qui est-ce ?

DOTTORE. – Respiri. Forte. Ancora. Respiri. Ancora. Si copra pure.

Il dottore si risolleva.
Guido, cercando i suoi indumenti e incominciando a indossarli, torna a rivolgersi a Carini, con una sfumatura di malcelato disagio.

GUIDO. – Allora?
CARINI. – Vorrei parlartene un po' a lungo. Dopo.

Il dottore intanto ha scritto la ricetta che passa all'infermiera, dicendo, mentre Guido si alza e va verso lo specchio, guardandovisi :

DOTTORE. – Ha l'organismo un po' affaticato. Grazie. Si rivesta pure... Bella ragazza americana?
DOTTORE. – A digiuno prendere 300 gr di Acqua Santa in 3 volte alla distanza di 1/4 d'ora. I fanghi della durata di 20 minuti. Dopo il fango farà un bagno della durata di 5-10 minuti. Come da prescrizione *(consegnandogliela).*

Nello specchio, Guido vede venirsi incontro il suo viso gonfio di sonno e stanco.

DISSOLVENZA

LE DOCTEUR. – Respirez. Fort. Encore. Respirez. Encore. Couvrez-vous.

Le docteur se redresse.
Guido, tout en cherchant ses vêtements et en commençant à les mettre, s'adresse encore à Carini, avec une ombre d'embarras mal dissimulé.

GUIDO. – Et alors ?
CARINI. – Je voudrais t'en parler assez longuement. Plus tard.

Le docteur, entre-temps, a rédigé l'ordonnance qu'il donne à l'infirmière, en disant, tandis que Guido se lève et va vers le miroir pour s'y regarder :

LE DOCTEUR. – Votre organisme est un peu fatigué. Merci. Rhabillez-vous… Une belle fille américaine ?
LE DOCTEUR. – Prendre à jeun 300 grammes d'Acqua Santa en 3 fois tous les quarts d'heure. Bains de boue pour une durée de 20 minutes. Après le bain de boue, prendre un bain pendant 5 à 10 minutes. Selon la prescription *(en la lui donnant)*.

Dans le miroir, Guido voit venir à sa rencontre son propre visage gonflé de sommeil et de fatigue.

FONDU

Giardino terme. Esterno. Giorno.

43-65

Un' orchestrina sistemata tra le piante sta eseguendo un pezzo di musica leggera fra i più noti, tutto accordi squillanti : « Cavalleria leggera », o « Poeta contadino », o qualcosa di Leoncavallo.
Il grande giardino che circonda le terme è gremito di gente : persone di ogni età, per la maggior parte anziani, si affollano verso la fonte, nei viali dalle aiuole curatissime e leziose.
Nei pressi del luogo dove l' acqua viene distribuita la gente forma una lunga coda, in attesa paziente del primo turno.
Guido sta in fila con gli altri, avanzando lentamente verso la fonte. Si guarda attorno con un misto di curiosità e di sgomento, guarda i volti di coloro che lo circondano, guarda, più lontani, coloro che passeggiano adagio per i viali sorseggiando l' acqua dal bicchiere che tengono in mano.
Su tutti sorvolano le note squillanti e solenni della musica, eseguita dall' orchestrina. Guido si avvicina alla fonte : ora davanti a lui non c' è che una fila di gente. Guido cerca inutilmente di vedere la sorgente, c' è soltanto un bancone dietro il quale non si scorge nessuno. Mani di donne invidiabili appaiono dal basso,

Jardin des thermes. Extérieur. Jour.

43-65

Un petit orchestre qui se trouve parmi les plantes joue un morceau de musique légère très connu, aux accords retentissants : Cavalerie légère, *ou* Poète et paysan, *ou quelque chose de Leoncavallo.*
Le grand jardin qui entoure les thermes est bondé : des gens de tout âge, parmi lesquels les personnes âgées sont les plus nombreuses, se pressent en direction de la source, dans les allées aux parterres extrêmement soignés et mièvres.
Autour de l'endroit où l'on distribue l'eau, les gens forment une longue queue, en attendant patiemment leur tour.
Guido est dans la file, comme les autres, et avance lentement vers la source. Il regarde autour de lui avec un sentiment mêlé de curiosité et de perplexité ; il regarde les visages de ceux qui l'entourent ; il regarde, plus loin, ceux qui se promènent tranquillement le long des allées en buvant à petites gorgées l'eau du verre qu'ils ont à la main.
Au-dessus de tout cela volent les notes retentissantes et solennelles de la musique exécutée par le petit orchestre. Guido s'approche de la source : il n'y a plus, devant lui, qu'une seule rangée. Il essaie, inutilement, de voir la source, mais il n'y a qu'un comptoir, derrière lequel on n'aperçoit personne. Des mains de femmes désirables s'élèvent du bas en un

con moto continuo, porgendo a coloro che attendono bicchieri pieni d'acqua o ritirando i bicchieri vuoti.
Ora è il turno di Guido : invece di tendere la mano egli, si appoggia al bancone e si sporge a guardare al di là, con un moto di curiosità divertita.
In basso, presso la sorgente chiusa in un'opera di marmo, stanno molte ragazze in grembiule che ininterrottamente si chinano, riempiono i bicchieri, si risollevano, si tendono in su verso il bancone. Malgrado questo lavoro continuo e certo faticoso le ragazze, tutte giovanissime, conversano e a tratti ridono fra di loro.
All'improvviso Guido vede di fronte a sé, dall'altra parte del bancone una ragazza bruna, di bellezza serena e seria, che gli sorride tendendogli il bicchiere.
Attorno i rumori e le voci reali sono cessati ; un silenzio rarefatto circonda la ragazza, che pure essendo, negli abiti, simile alle altre, è evidentemente una immaginazione di Guido.
Egli rimane a fissarla, incantato, dice :

GUIDO. – Grazie...

Poi fa il tentativo di continuare il discorso, mentre la ragazza sorridente, rimane in attesa per qualche istante ; ma le parole gli mancano, non sa concretare niente di preciso. La ragazza svanisce. Guido, sospinto un po' bruscamente da una signora anziana che stava in attesa dietro di lui, si avvia lungo il viale

mouvement continu, offrant à ceux qui attendent des verres pleins d'eau ou retirant les verres vides.
C'est le tour de Guido maintenant : au lieu de tendre la main, il s'appuie sur le comptoir et se penche pour regarder au-delà, avec un mouvement de curiosité amusée.
En bas, près de la source enfermée dans un édifice en marbre, se trouvent plusieurs jeunes filles en tablier qui, de façon ininterrompue, se penchent, remplissent les verres, se relèvent, les tendent vers le comptoir. Malgré ce travail continu et certainement pénible, les jeunes filles, toutes très jeunes, bavardent et, par moments, rient entre elles.
Soudain, Guido voit en face de lui, de l'autre côté du comptoir, une fille brune, d'une beauté sereine et sérieuse, qui lui sourit en lui tendant son verre.
Tout autour, les bruits et les voix réels ont cessé ; un silence raréfié entoure la jeune fille qui, bien qu'habillée comme les autres, est, de toute évidence, une vision imaginaire de Guido.
Il la fixe intensément, charmé, et dit :

GUIDO. – Merci…

Puis il essaie de poursuivre la conversation, pendant que la jeune fille, souriante, reste quelques instants en attente ; mais les mots lui manquent, il ne sait rien exprimer de précis. L'image de la jeune fille s'évanouit. Guido, poussé un peu brusquement par une vieille dame qui attendait derrière lui, avance le long

tenendo in mano un bicchiere. Si sofferma un momento a guardare con curiosità il bicchiere graduato che ha in mano : assaggia un sorso d'acqua, che evidentemente non ha nessun sapore particolare. È in questo stato di disteso umorismo quando il suo volto si oscura. Carini è seduto ad un tavolino poco discosto e gli fa un cenno di richiamo con la mano. Guido va a raggiungerlo e gli si siede accanto. Una espressione di disagio e quasi di ansia gli sta dipinta in viso. Intorno a loro, i tavolini sono tutti occupati, il che aumenta il senso di disagio di Guido.
Carini ha davanti a sé in una rivista, un foglio di appunti. Guarda in viso Guido e gli dice, nel solito tono :

CARINI. – Mi dirai poi tu se è il caso che questa relazione io la passi anche al tuo produttore… Non vorrei danneggiarti.

Il viso di Guido ha una lieve contrazione ; risponde, con un mezzo sorriso stirato :

GUIDO. – Non preoccuparti. Ti ho chiamato io. Leggi, leggi.

Carini prende a leggere, interrompendosi ogni tanto per fissare Guido negli occhi.

CARINI. – Ad una prima lettura salta agli occhi che la mancanza di una precisa problematica o se si vuole di

de l'allée avec son verre. Il s'arrête un instant pour regarder avec curiosité le verre gradué qu'il tient à la main : il goûte une gorgée d'eau, qui n'a évidemment aucune saveur particulière.
Son humeur est détendue, mais son visage s'assombrit. Carini est assis à une petite table peu éloignée et lui fait signe. Guido va le rejoindre et s'assoit près de lui. Une expression de malaise et presque d'anxiété est peinte sur son visage. Autour d'eux, les petites tables sont toutes occupées, ce qui augmente la sensation de malaise de Guido.
Carini a devant lui, tirée d'une revue, une feuille avec des notes. Il regarde Guido en face et lui dit, sur son ton habituel :

CARINI. – Tu me diras après si je dois donner ce compte rendu à ton producteur… Je ne voudrais pas te faire du tort.

Le visage de Guido a une légère contraction ; il répond, avec un demi-sourire forcé :

GUIDO. – Ne te fais pas de souci. C'est moi qui t'ai demandé. Lis-moi tes notes.

Carini commence à lire, en s'interrompant de temps à autre pour fixer Guido dans les yeux.

CARINI. – A première lecture, il apparaît évident que l'absence d'une problématique précise ou, si l'on

una premessa filosofica rende il film un seguito di episodi del tutto casuali, e probabilmente... « divertenti », nella misura di un loro ambiguo realismo. Ci si domanda difatti a che cosa mirano gli autori : vogliono farci pensare ? vogliono farci paura ? Questo gioco scopre fin dall'inizio la mancanza di una ispirazione poetica.

Carini interrompe per un momento la lettura, e in tono apparentemente più discorsivo, più amichevole commenta :

CARINI. – Scusami sai forse questa è la dimostrazione più patetica che il cinema è in ritardo di cinquant'anni sulle altre arti...

Ride un poco, si rifà serio, riprende a leggere.

CARINI. – ... Il copione non ha neanche i pregi di un film di rottura, anche se a volte sembra averne le... deficienze...

Guido lo guarda in silenzio, forse sta per parlare, ma la sua attenzione è attratta da una coppia che si sta sedendo ad un tavolo vicino. L'uomo è sui cinquant'anni con un abbigliamento eccessivamente elegante, comunque nuovissimo e un sospetto di ridicolo appare nella sua decisione di rimontare lo svantaggio dell'età e di considerarsi giovane ; nel sentirsi, insomma, un po' troppo a suo agio.

veut, d'une prémisse philosophique confère au film l'allure d'une suite d'épisodes tout à fait fortuits, et probablement… « amusants », dans la mesure où leur réalisme est ambigu. On se demande en effet ce que visent les auteurs : veulent-ils nous faire penser ? veulent-ils nous faire peur ? Ce jeu dévoile depuis le début l'absence d'une inspiration poétique.

Carini interrompt un instant sa lecture, puis, sur un ton apparemment plus détendu, plus amical, il commente :

CARINI. – Pardonne-moi, veux-tu, c'est peut-être la démonstration la plus pathétique que le cinéma est en retard de cinquante ans sur les autres arts…

Il rit un peu, redevient sérieux, recommence à lire.

CARINI. – … Le scénario n'offre même pas les mérites d'un film de rupture, même s'il semble parfois en avoir les… insuffisances…

Guido le regarde en silence, il va peut-être parler, mais son attention est attirée par un couple qui va s'asseoir à une table voisine. L'homme a environ cinquante ans, il est habillé de façon excessivement élégante, en tout cas ses vêtements sont tout neufs, et un soupçon de ridicule apparaît dans sa décision de surmonter le handicap de l'âge et de se considérer comme jeune, de se sentir, en somme, un peu trop à

Si chiama Mezzabotta. Lei è una ragazza sui venti anni, alta, esile, volutamente snodata negli atteggiamenti. Anche lei è abbigliata con eccessiva eleganza, un'eleganza da boutique. Porta una quantità di braccialetti curiosi e naturalmente un paio di libri. Quando ride, esagera la sua ilarità scuotendo le spalle e agitandosi. I suoi modi sono quelli di una particolare gioventù intellettuale e artistica, cioè la si direbbe sempre volubilmente attenta alle cose, alle persone, e soprattutto a sé stessa.
Si chiama Gloria.
Guido si aggrappa a questo arrivo quasi per sfuggire alla necessità di rispondere alla critica spietata di Carini, che evidentemente lo ha molto turbato, ma si riprende subito.

GUIDO. – Mezzabotta!... Come va?...

L'uomo si volge, riconosce Guido e festosamente lo saluta.

MEZZABOTTA. – Oh! ciao... Come stai?

I due si stringono la mano mentre Gloria sorride adesso più misteriosamente che mai aspettando le presentazioni.

son aise. Il s'appelle Mezzabotta. Elle, c'est une fille d'environ vingt ans, grande, mince, aux attitudes volontairement déliées. Elle aussi est habillée avec une élégance excessive, une élégance de boutique. Elle porte une grande quantité de bracelets bizarres et, naturellement, deux ou trois livres. Quand elle rit, elle exagère son hilarité en haussant les épaules et en s'agitant. Ses manières sont celles, particulières, d'une jeunesse intellectuelle et artistique, c'est-à-dire qu'on dirait qu'elle porte continuellement son attention avec légèreté sur les choses, sur les personnes, et surtout sur elle-même.
Elle s'appelle Gloria.
Guido s'accroche à cette nouvelle arrivée comme pour fuir la nécessité de répondre à la critique impitoyable de Carini, qui l'a évidemment beaucoup troublé, mais il se ressaisit aussitôt.

GUIDO. – Mezzabotta !… Comment ça va ?…

L'homme se retourne, reconnaît Guido et le salue gaiement.

MEZZABOTTA. – Oh ! salut… Comment vas-tu ?

Les deux hommes se serrent la main, tandis que Gloria sourit maintenant plus mystérieusement que jamais en attendant les présentations.

MEZZABOTTA *(ilare)*. – Anche tu da queste parti ! Noi è il secondo giorno. Ti trattieni molto ? *(A Gloria.)* Gloria… Guido…

Guido porge la mano a Gloria e dice a Mezzabotta :

GUIDO. – Tua figlia ? Come s'è fatta grande !

Mezzabotta, pronto, ma con un po' di impaccio :

MEZZABOTTA. – Non è mia figlia. La signorina…

Gloria con la disinvolta franchezza del suo repertorio, lo interrompe stringendo la mano di Guido :

GLORIA. – Gloria. Gloria Morin. Come sta ?

Guido un po' confuso, ma sorridente :

GUIDO. – Come sta ? Mi scusi. Comunque il mio sbaglio è un omaggio alla sua giovinezza.

Gloria fa un breve comico inchino.

GLORIA. – Gentile ! Comunque, io so tutto di lei. Puppi mi ha parlato spesso di lei.

Sopraggiunge il cameriere del bar portando un vassoio con due aranciate. Un attimo di silenzio impacciato. Quando va via il cameriere, Gloria si siede.

MEZZABOTTA *(réjoui)*. – Alors, toi aussi tu es là ! Nous, c'est notre deuxième jour. Tu vas rester longtemps ? *(A Gloria.)* Gloria… Guido…

Guido tend la main à Gloria et dit à Mezzabotta :

GUIDO. – Ta fille ? Comme elle a grandi !

Mezzabotta, aussitôt, mais avec un peu d'embarras :

MEZZABOTTA. – Ce n'est pas ma fille. Mademoiselle…

Gloria, avec la franchise désinvolte de son répertoire, l'interrompt en serrant la main de Guido :

GLORIA. – Gloria, Gloria Morin. Enchantée.

Guido, un peu confus, mais souriant :

GUIDO. – Enchanté. Excusez-moi. En tout cas, mon erreur est un hommage à votre jeunesse.

Gloria fait une petite révérence comique.

GLORIA. – C'est très aimable ! En tout cas, je sais tout de vous. Puppi m'a souvent parlé de vous.

Survient le barman qui porte deux jus d'orange sur un plateau. Un instant de silence embarrassé. Lorsque le barman s'en va, Gloria s'assoit.

Anche Guido si siede, spostando un po' la sua sdraio in direzione dei suoi amici.

MEZZABOTTA. – E tu ? Sei solo ? Tua moglie ?
GUIDO. – Sono solo.

Mezzabotta, facendo il disinvolto :

MEZZABOTTA. – Meglio ! *(Sorride e con altro tono.)* Dico, meglio in generale.

Con l'aria di dare una notizia già scontata :

MEZZABOTTA. – ... Avrai saputo no ? di me e Tina. Aspettiamo l'annullamento.

Guido sorride, come ad una buona notizia :

GUIDO. – Ah !
MEZZABOTTA. – È per questo che ci vedi qua... *(Indica Gloria.)*... noi due. Ci siamo fidanzati.

Guido, sempre più sorridente :

GUIDO. – Ah ! Auguri...

Gloria fa un cenno di ringraziamento ironico con la testa.

Guido s'assoit aussi, en déplaçant un peu sa chaise-longue en direction de ses amis.

MEZZABOTTA. – Et toi ? Tu es seul ? Ta femme ?
GUIDO. – Je suis seul.

Mezzabotta, avec une feinte désinvolture :

MEZZABOTTA. – Tant mieux ! *(Il sourit, et sur un autre ton.)* Je veux dire, tant mieux en général.

Avec l'air de donner une nouvelle déjà connue :

MEZZABOTTA. – … Tu as su, n'est-ce pas ? pour Tina et moi. Nous attendons l'annulation.

Guido sourit, comme s'il s'agissait d'une bonne nouvelle :

GUIDO. – Ah !
MEZZABOTTA. – C'est pour ça que tu nous vois ici… *(Il indique Gloria.)*… tous les deux. Nous sommes fiancés.

Guido, de plus en plus souriant :

GUIDO. – Ah ! Félicitations…

Gloria fait un signe de remerciement ironique de la tête.

GLORIA. – Puppi, passami le sigarette.
MEZZABOTTA. – Tieni, cara... *(A Guido.)* E bravo Guido ! Mi fa proprio piacere di vederti. Stai preparando qualcosa di bello ? Questo è un posto ideale per pensare, no ? Calmo, pulito, anche.

Guido avvia il discorso, indicando Carini e presentandolo.

GUIDO. – Permetti ? Fabrizio Carini... lo scrittore...

Carini si alza e stringe la mano a Gloria poi a Mezzabotta.

GLORIA *(a Carini)*. – Sono proprio contenta di conoscerla. Io sono una sua ammiratrice, sa.

Mentre il dialogo prosegue, Guido si astrae, senza più seguirlo. Evidentemente ripensa con inquietudine a ciò che Carini gli ha detto.

CARINI. – Ne sono lusingato. La signorina è attrice ? Ho visto certamente la sua fotografia...
GLORIA. – Attrice ? Sì, ho delle ambizioni. *(Ride, poi, comicamente.)* Ambizioni e-no-rmi... Tutto qui, per ora...
MEZZABOTTA. – È laureata in filosofia.

GLORIA. – Puppi, passe-moi les cigarettes.
MEZZABOTTA. – Tiens, ma chérie… *(A Guido.)* Tu sais, mon cher Guido, je suis vraiment content de te voir. Tu prépares quelque chose de beau ? Ici, c'est un endroit idéal pour réfléchir, n'est-ce pas ? Calme, et aussi très bien tenu.

Guido engage la conversation, en indiquant Carini et en le présentant.

GUIDO. – Puis-je te présenter Fabrizio Carini… l'écrivain ?…

Carini se lève et serre la main de Gloria puis celle de Mezzabotta.

GLORIA *(s'adressant à Carini).* – Je suis vraiment contente de vous connaître. Savez-vous que je suis une de vos admiratrices ?

Tandis que le dialogue se poursuit, Guido s'en détourne, sans le suivre davantage. De toute évidence il repense avec inquiétude à ce que Carini lui a dit.

CARINI. – J'en suis flatté. Mademoiselle est actrice ? J'ai certainement vu votre photo…
GLORIA. – Actrice ? Oui, j'ai des ambitions. *(Elle rit, puis sur un ton comique.)* Des ambitions é-nor-mes… Mais ça s'arrête là, pour l'instant…
MEZZABOTTA. – Elle a une maîtrise de philo.

GLORIA. – No laureata. Sto preparando la tesi. È molto differente.
CARINI. – Che tesi ?
GLORIA. – Una cosetta dura : « La solitudine dell'uomo nel teatro contemporaneo ».

Guido, nel frattempo, ha preso con due dita il foglietto di appunti di Carini, e lo guarda in silenzio, da lontano, sopprapensiero. Poi lo commenta con una smorfia di comica autoderisione.

DISSOLVENZA

Stazioncina ferroviaria. Esterno. Giorno.

66-75

La piccola stazione, con le due o tre pensiline separate dai fasci dei binari, è quasi deserta. Un treno merci fa lentamente manovra lungo il marciapiede principale. Sono le due pomeridiane. Guido sta in attesa sotto la seconda pensilina. È oppresso dal caldo e dalla noia dell'ora.

GUIDO (tra sé). – Come sarebbe bello se non arrivasse !

GLORIA. – Non, pas encore. Je prépare mon mémoire. C'est très différent.
CARINI. – Quel sujet ?
GLORIA. – Quelque chose d'assez dur : « La solitude de l'homme dans le théâtre contemporain ».

Guido, entre-temps, a pris avec deux doigts la feuille de notes de Carini et il la regarde en silence, de loin, soucieux. Puis il la commente avec une grimace d'autodérision comique.

FONDU

Petite gare ferroviaire. Extérieur. Jour.

66-75

La petite gare, avec deux ou trois quais couverts de marquises séparées par les faisceaux de rails, est presque déserte. Un train de marchandises fait lentement des manœuvres le long du quai principal. Il est deux heures de l'après-midi. Guido attend sous la deuxième marquise. Il est oppressé par la chaleur et par l'ennui de l'heure.

GUIDO *(en lui-même)*. – Comme ce serait bien si elle ne venait pas !

Guarda, con occhi assenti, pieni di involontario distacco, il treno che è sbucato in fondo al nastro del binario e che avanza rapidamente verso la stazione.
Il treno gli sfila davanti e si ferma. Guido senza darsi troppa premura, cerca con lo sguardo qualcuno tra la gente che scende, affollando il marciapiede.
Fa qualche passo verso la testa del treno, poi torna indietro, ancora qualche passo, verso la coda.
Gira gli occhi sulle persone che gli passano accanto, torna a guardare verso gli sportelli e i finestrini.
Sembra più sorpreso che contrariato di non trovare la persona attesa. Si ferma, allunga lo sguardo verso le due estremità del marciapiede, torna a guardare il treno, dal quale ormai non scende più nessuno. La piccola folla dei viaggiatori in arrivo si sta diradando. Il capotreno passa lungo il convoglio chiudendo gli sportelli rimasti aperti.
Guido getta un'ultima occhiata a destra e a sinistra, e un lieve sorriso, come di sollievo, gli appare sul volto, infila le mani in tasca e si avvia con passo più libero verso il sottopassaggio, mentre il treno merci che stava facendo manovra si sposta lentamente scoprendo il marciapiede principale lungo l'edificio della stazione. Un richiamo femminile che gli giunge da quella parte lo arresta e lo fa volgere.

Il regarde, avec des yeux absents, pleins d'un détachement involontaire, le train qui vient de déboucher au fond de la voie et qui avance rapidement vers la gare.
Le train défile devant lui et s'arrête. Guido, sans trop se presser, cherche du regard quelqu'un parmi les gens qui descendent et se pressent sur le quai.
Il fait quelques pas vers la tête du train, puis revient en arrière, fait encore quelques pas vers la queue.
Ses yeux se tournent vers les personnes qui passent à côté de lui, puis il recommence à regarder vers les portières et les fenêtres.
Il semble plus surpris que contrarié de ne pas trouver la personne qu'il attendait. Il s'arrête, jette un regard vers les deux extrémités du quai, puis reporte son attention vers le train, d'où désormais plus personne ne descend. La petite foule des voyageurs qui viennent d'arriver est en train de se disperser. Le chef de train longe la rame et ferme les portières qui sont restées ouvertes.
Guido lance un dernier coup d'œil à droite et à gauche, et un léger sourire, comme de soulagement, apparaît sur son visage, il glisse les mains dans ses poches et se dirige d'un pas plus libre vers le passage souterrain, tandis que le train de marchandises, qui faisait une manœuvre, se déplace lentement en découvrant le quai principal longeant l'édifice de la gare. Un appel féminin venant de ce côté-là l'arrête et le fait se retourner.

Sul marciapiede, oltre i binari lasciati liberi dal treno merci, c'è una giovane signora che agita la mano verso di lui, in atto di saluto festoso e di richiamo. Accanto a lei, sta un facchino carico di valige.
Guido ha un attimo di sorpresa, e quasi inconsapevole contrarietà.
Ma è solo un attimo, subito un sorriso divertito e cordiale, gli illumina il volto. Dice forte, verso la signora :

GUIDO. – Di dove sbuchi ?...

La donna indica l'entrata del sottopassaggio, risponde, pure a voce alta, festosamente ma quieta :

CARLA. – Il sottopassaggio...

La signora si stringe nelle spalle e ride. È vestita di chiaro, con una ricercatezza un po' comica, ma molto elegante, di modello da viaggio. (È la donna che abbiamo intravisto nel sogno iniziale.) Ricca di forme, quieta, bianca di pelle, e assai bella, ricorda il tipo di bella signora ottocentesca.
Il treno merci in manovra torna indietro lentamente e la nasconde di nuovo.
Guido si infila nel sottopassaggio, scendendone i gradini di buon passo, animatamente. Nessun pensiero

Sur le quai, au-delà des rails que le train de marchandises a laissés libres, se trouve une jeune femme agitant sa main vers lui, en un geste de salutation joyeuse et d'appel. Près d'elle se tient un porteur chargé de valises.
Guido a un instant de surprise et, presque inconsciemment, de contrariété.
Mais ce n'est qu'un instant, tout de suite un sourire amusé et cordial éclaire son visage. Il dit en parlant fort, à l'adresse de la dame :

GUIDO. – D'où sors-tu ?…

La femme indique l'entrée du passage souterrain et répond, elle aussi à haute voix, joyeusement mais avec tranquillité :

CARLA. – Le passage souterrain…

La dame hausse les épaules et rit. Elle est vêtue de couleurs claires, avec un raffinement un peu comique ; mais elle est très élégante, en tenue de voyage. (C'est la femme que nous avons aperçue dans le rêve du début.) Avec ses formes abondantes, tranquille, sa peau blanche, et très belle, elle rappelle le genre des belles femmes du XIXe siècle.
Le train de marchandises en manœuvre revient lentement en arrière et la cache de nouveau.
Guido entre dans le passage souterrain et en descend les marches à vive allure, très animé. Aucune pensée

o calcolo gli si legge in volto ; è sinceramente preso dalla situazione del momento.
Scompare nella penombra delle scale.
Poco dopo riemerge sul marciapiede che la signora – Carla – sta già percorrendo verso l'uscita, seguita da un facchino carico di valige.
Guido le va incontro.

GUIDO. – Io ero lì… Non ti ho visto… Come stai ?

Le dà un rapido bacio su una guancia, gettando attorno una occhiata furtiva, poi subito aggiunge :

GUIDO. – Quanta roba hai portato ! Cinque valige !…
CARLA. – Qualche vestitino… anche per la sera… Gli abiti da sera, sai com'è, tengono molto posto…
GUIDO. – Ma qui, la sera, si va a dormire, sai. Non c'è mica niente…

Ma Carla non intende rinunciare ai suoi progetti di vita mondana ; con quieta ostinazione ottimistica e sorridente, insiste :

CARLA. – È una stazione climatica, in piena stagione. Ci sarà bene qualche sfilata, qualche localino… anche nel nostro albergo.

ni calcul ne se lisent sur son visage ; il est sincèrement pris par la situation du moment.
Il disparaît dans la pénombre de l'escalier.
Un instant après, il réapparaît sur le quai que la dame – Carla – parcourt déjà en direction de la sortie, suivie du porteur chargé de ses bagages.
Guido va à sa rencontre.

GUIDO. – J'étais là… Je ne t'ai pas vue… Comment vas-tu ?

Il l'embrasse rapidement sur une joue, en jetant un coup d'œil furtif, puis ajoute aussitôt :

GUIDO. – Tu as emporté beaucoup d'affaires ! Cinq valises !…
CARLA. – Quelques petites robes… pour le soir aussi… Les robes du soir, tu sais, ça prend beaucoup de place…
GUIDO. – Mais le soir, ici, on dort, vois-tu. Il n'y a vraiment rien…

Mais Carla n'a pas l'intention de renoncer à ses projets de vie mondaine ; avec une obstination tranquille, optimiste et souriante, elle insiste :

CARLA. – C'est une station thermale, en pleine saison. Il doit bien y avoir quelques défilés, quelques night-clubs… peut-être même dans notre hôtel.

Guido la interrompe, precisando con un certo frettoloso disagio :

GUIDO. – C'è un fatto… Nell'albergo dove sto io è tutto occupato, nemmeno una stanza… E poi c'è un sacco di gente di conoscenza… Ho dovuto sistemarti in un altro posto… un ottimo albergo…

Sono usciti dalla stazione sullo spiazzo ; Guido si affretta ad avvicinarsi alla sua macchina, una Flaminia molto elegante, chiamando il facchino.

GUIDO. – Qua !…

DISSOLVENZA

Trattoria. Interno. Giorno.

76-86

La porta viene aperta dall'esterno e Carla, entra, seguita da Guido. Il locale è completamente deserto, con i tavoli allineati e vuoti ; il senso di squallore irrimediabile che suggerisce afferra subito Guido, il quale fa l'atto di trattenere Carla.

Guido la coupe et précise avec un certain embarras hâtif :

GUIDO. – Il y a un problème… Dans l'hôtel où je me trouve, tout est occupé, il ne reste pas une seule chambre… Et puis, il y a des tas de gens qui me connaissent… Il a fallu que je réserve dans un autre endroit pour toi… un excellent hôtel…

Ils sont sortis sur l'esplanade de la gare ; Guido se hâte vers sa voiture, une Flaminia très élégante, en appelant le porteur.

GUIDO. – Par ici !…

FONDU

Trattoria. Intérieur. Jour.

76-86

La porte s'ouvre de l'extérieur et Carla entre suivie de Guido. L'établissement est complètement désert, avec des tables alignées et vides ; le sentiment de désolation irrémédiable qu'il suggère saisit aussitôt Guido, qui fait le geste de retenir Carla.

GUIDO. – Va là, andiamocene... Quando sei in albergo ti fai portare due sandwiches.

Carla protesta, calma e sorridente, appena un po' allarmata, ma decisissima a non cedere.

CARLA. – È carino, qui. Io ho fame, tu hai mangiato, ma io no.

Guido si stringe nelle spalle, subito accettando, ma tuttavia avendo ancora dipinto sul volto lo sgomento.

GUIDO. – Non vedi che malinconia ?
CARLA. – Tanto, a quest'ora, è uguale dappertutto... Sono le tre ! Stiamo insieme, sono venuta apposta, no ?

Gli prende le dita tra le sue, teneramente ; aggiunge proprio contenta, annusando l'aria :

CARLA. – Senti che profumino...

Sulla porta della cucina è apparsa una giovane donna un po' grassa, con un grembiulone bianco sbottonato, e un tovagliolo in mano. È evidente che stava mangiando. Ha un aspetto casalingo e bonario che attira subito la simpatia di Guido.
Le dice, con intenzione seria ma in tono di scherzo.

GUIDO. – Non, allons-nous-en… Quand tu seras à l'hôtel, tu te feras apporter deux sandwiches.

Carla proteste, tranquille et souriante, juste un peu inquiète, mais tout à fait décidée à ne pas céder.

CARLA. – C'est charmant, ici. Moi, j'ai faim. Toi, tu as mangé, mais pas moi.

Guido hausse les épaules et accepte tout de suite, mais son désarroi reste cependant peint sur son visage.

GUIDO. – Tu ne vois pas comme c'est triste ?
CARLA. – Mais à cette heure-ci, c'est partout pareil… Il est trois heures ! Restons ensemble, je suis venue exprès, non ?

Elle prend ses doigts dans les siens, tendrement ; elle ajoute, très contente, en humant l'air :

CARLA. – Quelle bonne petite odeur !…

A la porte de la cuisine est apparue une jeune femme assez ronde, avec un grand tablier blanc déboutonné et une serviette à la main. De toute évidence, elle était en train de manger. Elle a un air familial et débonnaire qui attire tout de suite la sympathie de Guido. Il lui dit, sérieux dans le fond mais sur le ton de la plaisanterie :

GUIDO. – Buongiorno. Se volessimo mangiare subito, immediatamente, cosa ci sarebbe di pronto ?

La donna risponde nello stesso tono :

DONNA. – Tutto quello che le pare… S'accomodi…

Invece di prendere posto al tavolo che la donna gli indica, Guido si infila in cucina, mentre Carla chiede a mezza voce alla donna :

CARLA. – La toilette, per favore ?

E aggiunge, come decorosa giustificazione per Guido, avviandosi dietro la donna che le fa strada :

CARLA. – Il treno è terribile… Lascia le mani nere…

Guido non ha neanche ascoltato ; si guarda attorno, con un senso di sgomento ; prende da un piatto un'oliva, la mastica, e non sapendo che fare si dirige a sua volta verso la toilette. Ne apre la porta rimanendo appoggiato allo stipite.
Nell'interno, davanti allo specchio del lavabo, Carla sta sistemandosi con calma e accuratezza : si ravvia i capelli, ripone con cura il pettine nella

GUIDO. – Bonjour. Si nous voulions manger tout de suite, immédiatement, qu'est-ce qu'il y aurait de prêt ?

La femme répond sur le même ton :

LA FEMME. – Tout ce que vous voulez... Asseyez-vous...

Au lieu de s'installer à la table que lui indique la femme, Guido entre dans la cuisine, pendant que Carla demande à voix basse à la femme :

CARLA. – Les toilettes, s'il vous plaît ?

Et, en guise de justification convenable pour Guido, elle ajoute, tout en suivant la femme qui lui ouvre le chemin :

CARLA. – Le train, c'est terrible... ça vous laisse des mains noires...

Guido n'a même pas entendu ; il regarde autour de lui, avec un sentiment de désarroi ; il prend une olive sur une assiette, la mâche, puis, ne sachant que faire, il se dirige à son tour vers les toilettes. Il ouvre la porte tout en s'appuyant au montant.
A l'intérieur, devant le miroir du lavabo, Carla est en train de remettre calmement de l'ordre dans sa tenue : elle recoiffe ses cheveux, replace avec soin le

borsetta ; si sfila gli anelli, incomincia a lavarsi le mani. La presenza di Guido non la scompone affatto ; anzi essa riprende a parlare, contenta e serena.

CARLA. – Guardavo… questo « imprimé ». Non s'è stropicciato quasi niente, con due ore di treno… È un tipo un po' nuovo… Carino vero ? Avevo visto una cosa un po' così su *Vogue*… Non ti dico quanto ho dovuto girare per trovarlo… Ero proprio disperata… Ma sai, quando Carla si mette una cosa in testa…

Guido, più che ascoltare Carla, la guarda ; guarda le mani morbide e bianche di lei sotto l'acqua, e le si accosta un po' eccitato cingendole la vita e stringendola a sé…

GUIDO. – Bella !…

Carla si schermisce, sorride compiaciuta.

CARLA. – Cosa fai ?… Stai buono, su… Qui non sta bene…

Si scioglie dicendo positiva :

CARLA. – Io ho fame, adesso…

peigne dans son sac ; elle ôte ses bagues, commence à se laver les mains. La présence de Guido ne la trouble pas du tout ; au contraire, elle recommence à parler, contente et sereine.

CARLA. – J'étais en train de regarder… cet imprimé. Il ne s'est presque pas froissé, malgré deux heures de voyage… C'est un genre un peu nouveau… C'est charmant, n'est-ce pas ? J'avais vu quelque chose de semblable dans *Vogue*… Je ne te dis pas combien j'ai dû chercher avant de le trouver… J'étais vraiment désespérée… Mais tu sais bien, lorsque Carla se met quelque chose dans la tête…

Guido regarde Carla, sans vraiment l'écouter ; il regarde ses mains souples et blanches sous l'eau puis s'approche d'elle un peu excité en la prenant par la taille et en la serrant contre lui.

GUIDO. – Tu es belle !…

Carla se défend, elle sourit, heureuse.

CARLA. – Mais qu'est-ce que tu fais ? Arrête, voyons… Ici, ça n'est pas bien…

Elle se dérobe, en disant sur un ton assuré :

CARLA. – Moi, maintenant, j'ai faim…

Carla e Guido sono seduti ad un tavolo, l'uno di fronte all'altra. Carla mangia con solido e quieto appetito, pacatamente, senza affrettarsi, rosicchiando con garbo e accuratezza gli ossicini. Guido non mangia ; ogni tanto, per passare il tempo, o per curiosità, prende qualcosa dal piatto di Carla, e dai piatti che la donna porta in tavola ; ascolta e guarda Carla con un alternarsi di curiosità e di divertimento, spesso però astraendosi e quasi dimenticandola.

CARLA. – Povero Luigi, è tanto bravo ! Non lo vedo mica contento… Sai, mio marito non è uno di quelli che si fanno avanti… Lui, no. Lui si avvilisce… E non è mica stupido ; è molto intelligente… Ma non sa fare. Avrebbe bisogno proprio di qualcuno che gli desse una spinta… È sempre lì, al suo lavoro, col solito stipendio… Perché non gli trovi qualche posto, tu che conosci tanta gente ? Dovresti proprio cercare di aiutarlo un po'… Mi faresti un grande piacere…

Carla et Guido sont assis à une table, l'un en face de l'autre. Carla mange avec un appétit solide et tranquille, paisiblement, sans se presser, en rongeant avec grâce et beaucoup de soin les petits os. Guido ne mange pas ; par moments, pour tuer le temps, ou par curiosité, il pique quelque chose dans l'assiette de Carla et dans les assiettes que la femme porte à table ; il écoute et regarde Carla avec une attitude alternativement curieuse et amusée, mais il est souvent absent et fait comme s'il l'oubliait.

CARLA. – Mon pauvre Luigi, il est si bon ! Je le vois bien, il n'est vraiment pas heureux… Tu sais, mon mari n'est pas de ceux qui savent se mettre en avant… Pas lui, non. Il se décourage… Et il n'est pourtant pas sot ; il est très intelligent… Mais il ne sait pas s'y prendre. Il aurait vraiment besoin de quelqu'un qui le pousse juste un peu… Il est toujours là-bas, à son travail, toujours avec le même salaire… Pourquoi tu ne lui trouverais pas un emploi, toi qui connais tant de gens ? Tu devrais vraiment essayer de l'aider un peu… Tu me ferais vraiment plaisir…

Camera da letto. Albergo. Interno. Giorno

87-95

Carla e Guido giacciono l'una accanto all'altro, nel letto. La camera, immersa nella penombra, è quella di un albergo elegante e moderno, completamente anonima. Guido si è addormentato sulla opulenta spalla di Carla, che sta immobile per non destarlo, con lo sguardo vagante nel vuoto.
Finalmente Guido apre gli occhi, sorride ; Carla ne approfitta per mutare posizione, sgranchiendosi il braccio. Sorride a sua volta, placidamente.

CARLA. – Incominciavo a non sentirmelo più, questo braccio…
GUIDO. – Potevi toglierlo…
CARLA. – Dormivi così bene…

Guido sorride, in una specie di dolce torpore. Carla allunga il braccio verso il comodino, prende un pacchetto di sigarette, con calma attenzione materna.

CARLA. – Vuoi fumare ?
GUIDO. – Sì…
CARLA. – Te l'accendo io ?…

Guido la lascia servirlo, con altrettanta naturalezza, ma consapevolmente compiaciuto.

Chambre à coucher. Hôtel. Intérieur. Jour.

87-95

Carla et Guido sont couchés l'un près de l'autre, sur le lit. La chambre, plongée dans la pénombre, est celle d'un hôtel élégant et moderne, complètement anonyme. Guido s'est endormi sur l'épaule opulente de Carla, qui se tient immobile pour ne pas le réveiller, avec le regard errant dans le vide.
Guido ouvre enfin les yeux, sourit ; Carla en profite pour changer de position et déplacer son bras engourdi. Elle sourit à son tour, placidement.

CARLA. – Je commençais à ne plus sentir mon bras…
GUIDO. – Tu aurais pu l'enlever…
CARLA. – Tu dormais si bien…

Guido sourit, pris dans une sorte de douce torpeur. Carla tend le bras vers la table de chevet, prend un paquet de cigarettes, avec une attention tranquille et maternelle.

CARLA. – Tu veux fumer ?
GUIDO. – Oui…
CARLA. – Tu veux que je l'allume ?…

Guido se laisse servir, avec le même naturel, mais intimement satisfait.

GUIDO. – Grazie...

Carla accende la sigaretta, giela mette tra le labbra ; poi si versa un bicchiere di acqua minerale, e la beve ; si interrompe a metà, la offre a Guido.

CARLA. – Ne vuoi ?

Guido accenna di no col capo, poi mentre Carla, finito di bere, torna ad adagiarglisi accanto, chiede, sempre con gli stessi occhi socchiusi :

GUIDO. – Tu non hai dormito ?...
CARLA. – Pensavo...

Rimane silenziosa, astratta, qualche istante, con lo sguardo al soffitto ; poi dice, pigramente, indicando il lampadario :

CARLA. – Un lampadario così, tale e quale, l'ho visto in via Tomacelli : costava ottomila lire.

Ci pensa un momento, aggiunge :

CARLA. – ... Andrebbe bene per la mia camera di soggiorno...

Guido ha preso ad accarezzarla lentamente.

GUIDO. – Che pelle bianca che hai ! Come sei bella !

GUIDO. – Merci…

Carla allume la cigarette, la met ensuite entre les lèvres de Guido ; puis elle se sert un verre d'eau minérale et boit ; elle s'arrête à moitié et en offre à Guido.

CARLA. – En veux-tu ?

Guido fait un signe de dénégation avec la tête, puis, tandis que Carla, après avoir fini de boire, s'étend de nouveau près de lui, il demande, toujours avec les yeux mi-clos :

GUIDO. – Tu n'as pas dormi ?…
CARLA. – Je pensais…

Elle reste quelques instants silencieuse, absente, avec le regard fixé vers le plafond ; puis elle dit, paresseusement, en indiquant le lustre :

CARLA. – J'ai vu un lustre comme celui-là, le même, via Tomacelli : il coûtait huit mille lires.

Elle réfléchit un moment, puis elle ajoute :

CARLA. – … Ce serait parfait pour ma salle de séjour…

Guido a commencé à la caresser lentement.

GUIDO. – Comme elle est blanche, ta peau ! Comme tu es belle !

CARLA. – Trovi ?… Dovrei dimagrire un po' : almeno tre chili.
GUIDO. – No, no. Stai benissimo così…

Si adagia contro di lei, soffice ed ampia, con gli occhi socchiusi.
Dopo qualche istante, senza mutare tono con lo sguardo vacante Carla chiede :

CARLA. – Come si chiama questo albergo ?… Così lo telegrafo a Luigi… Ci tiene tanto… Quando sono via, mi scrive quasi tutti i giorni… Vedrai se dopodomani non c'è già una lettera… Scrive delle lettere così belle… Te le faccio leggere… Albergo Principe ?

Guido già trasognato, annuisce, distrattamente.

GUIDO. – Sì…

Carla tace qualche istante : si volge ad osservarlo come studiandolo ; poi riprende maternamente :

CARLA. – Lo porti, tu, il blu mare ? Dovrebbe starti bene… Voglio farti un pullover… O forse è meglio il giallo, canarino… È molto elegante… ti faccio una maglia a treccia… Molto accollato… D'inverno, fa comodo…

CARLA. – Tu trouves ?… Je devrais maigrir un peu : trois kilos au moins.
GUIDO. – Non, non. Tu es très bien comme ça…

Il se blottit contre sa vaste douceur, les yeux mi-clos. Quelques instants après, sans changer de ton, le regard vide, Carla demande :

CARLA. – Comment s'appelle cet hôtel… pour en télégraphier le nom à Luigi ?… Il y tient tellement… Quand je ne suis pas là, il m'écrit presque tous les jours… Tu vas voir qu'après-demain j'aurai déjà une lettre… Il écrit des lettres si belles… Je te les ferai lire… Hôtel Principe ?

Guido, comme dans un rêve, acquiesce, distraitement.

GUIDO. – Oui…

Carla reste quelques instants silencieuse : elle se retourne pour l'observer, comme si elle l'étudiait ; puis elle recommence maternellement :

CARLA. – Tu portes du bleu marine, toi ? Ça devrait t'aller… Je veux te tricoter un pull… Ce serait peut-être mieux jaune, jaune canari… C'est très élégant… Je ferai une maille torsadée… Très montant… L'hiver, c'est utile…

Guido sta di nuovo immobile, con gli occhi socchiusi, adagiato contro il bianco, calmo corpo di lei.
Si assopisce e si trova improvvisamente in un piccolo cimitero costruito in mezzo ad una vasta campagna.

Cimitero di campagna. Esterno.

96-110

Guido è accanto ad una piccola costruzione con finestre strette e lunghe a vetri colorati, simile – ma non del tutto eguale – ad una cappella mortuaria; come simile, ma non del tutto eguale, ad un cimitero, è il luogo interno.
Una donna di mezza età sta preoccupatissima a sistemare una piccola aiuola che circonda la cappella, strappa le erbe, mette in terra qualche pianta fiorita, annaffia. Fa tutto con i gesti previdenti e saggi di una massaia, intenta a riordinare una casa. Ora con uno strofinaccio ed una scopa pulisce i gradini di marmo della cappella.

MADRE. – Se non ci pensiamo noi, chi ci pensa? Così poi, noi abbiamo la coscienza in regola. L'importante è di non presentarsi a mani vuote. Non bisogna essere

Guido se tient de nouveau immobile, les yeux toujours mi-clos, blotti contre le corps blanc et calme de Carla. Il s'assoupit et il se retrouve soudainement dans un petit cimetière qui s'étend au milieu d'une vaste campagne.

Cimetière de campagne. Extérieur.

96-110

Guido se trouve près d'une petite construction aux fenêtres étroites et longues avec des vitres colorées, semblable – mais pas tout à fait identique – à une chapelle mortuaire ; de même que le lieu est semblable – mais pas tout à fait identique – à un cimetière. Une femme d'âge moyen est très occupée à arranger un petit parterre qui entoure la chapelle, elle arrache les mauvaises herbes, place dans la terre quelques plantes fleuries, arrose. Elle fait tout avec les gestes prévoyants et sages d'une bonne ménagère, occupée à mettre de l'ordre chez elle. A présent, avec un torchon et un balai elle nettoie les marches de marbre de la chapelle.

La mère. – Si on ne s'en occupe pas, qui va s'en occuper ? Comme ça, nous avons la conscience tranquille. L'important, c'est de ne pas se présenter les mains vides. Il ne faut pas être égoïste, il n'y a qu'à

egoisti, guarda tuo zio. Prima o poi si paga cara. Hai mangiato tu ? Cosa vuoi mangiare ?
GUIDO *(in tono di rimprovero, quasi di fastidio).* – Lascia stare, finirai per stancarti. *(Poi con esitazione intima, accorata.)* Tu sei la mamma, vero ?

La donna smette di zappettare e si volta a guardare Guido, con un sorriso intenso, commosso, struggente d'affetto e di gratitudine per essere stata riconosciuta. Dice a mezza voce :

MADRE. – Guido !... *(Poi con voce in cui trema il pianto.)* Mai, non si finisce mai ! Avevo messo tutto a posto un momento fa. Sempre ricominciare da capo dalla mattina alla sera... per niente ! Da quando sono sposata non faccio altro ! Non ne posso più !...

Ma Guido ora è sulla soglia della cappella e guarda nell'interno. Nel piccolo vano spoglio, il padre sta seduto su una sedia. La valigetta gli sta accanto, sul pavimento. Ha ancora il cappello in testa, e appare a disagio, triste, solo.
Rivolge a Guido un saluto di affetto, ma un po' accorato, quasi di rimprovero.

PADRE. – Vedi com'è basso, qui, il soffitto... Potevano farlo più alto, più... Non mi sento affatto bene... Io avrei voluto... diverso... È brutto, Guido,

voir ton oncle. Tôt ou tard, on finit par le payer cher. As-tu mangé ? Qu'est-ce que tu veux manger ?
GUIDO *(sur un ton de reproche, et comme ennuyé).* – Arrête, tu vas finir par être épuisée. *(Puis avec une hésitation intérieure, attristé.)* Est-ce que c'est toi, maman ?

La femme s'arrête de piocher et se retourne pour regarder Guido, avec un sourire intense, ému, poignant d'affection et de gratitude d'avoir été reconnue. Elle dit à mi-voix :

LA MÈRE. – Guido ! *(Puis avec des larmes dans la voix.)* Jamais, on n'arrête jamais ! J'avais tout arrangé il y a juste un instant. Il faut toujours recommencer, du matin au soir… pour rien ! Depuis que je suis mariée, je ne fais rien d'autre ! Je n'en peux plus !…

Mais Guido est à présent sur le seuil de la chapelle et regarde à l'intérieur. Dans le petit espace dépouillé, son père est assis sur une chaise. Il a près de lui, sur le sol, sa petite valise et a gardé son chapeau sur la tête ; il semble mal à l'aise, triste, seul.
Il adresse à Guido un signe de salutation affectueux, mais un peu attristé, presque de reproche.

LE PÈRE. – Regarde comme il est bas, ici, le plafond… On aurait pu le faire plus haut, plus… Je ne me sens pas bien du tout… J'aurais voulu… quelque chose de

è brutto... Non puoi occupartene un po' tu ? Non mi sento affatto bene... Fa' qualcosa... Io vorrei...
GUIDO *(con ansia)*. – Che cosa papà ?...
PADRE. – Io vorrei... Io vorrei...

Un senso di infinita tristezza si è impadronito di Guido, che svolge lo sguardo attorno, angosciato... La donna che si occupava dei fiori è poco discosta, quasi di spalle, in un atteggiamento di grande sconforto.

MADRE *(con la fittizia gravità di un giornalista)*. – Quali sono i limiti del tuo anticonformismo ?
GUIDO *(stonato)*. – Non so...
MADRE. – Mi elenchi per favore le dieci cose di carattere pratico che nella vita la infastidiscono di più...
GUIDO. – Non mi ricordo...
MADRE *(addolorata)*. – Ah ! Guido, Guido... perché fai così ? *(Riassumendo il tono del giornalista.)* Non mente mai con sé stesso ? E in ogni caso, in quale occasione ? *(Poi accorata.)* Ti mangi ancora le unghie ?

Laggiù nel viottolo del cimitero passa un piccolo corteo : due o tre donne in lagrime, un ufficiale dei carabinieri in grande uniforme, una ballerina in tutù, anch'essa in lagrime, due pagliacci e tre bambini che leccano un gelato.

différent… C'est laid, Guido, c'est laid… Tu ne peux pas t'en occuper, toi, un peu ? Je ne me sens pas bien du tout… Fais quelque chose… Je voudrais…
GUIDO *(avec anxiété)*. – Quoi donc, papa ?…
LE PÈRE. – Je voudrais… Je voudrais…

Un sentiment de tristesse infinie s'est emparé de Guido, qui porte son regard tout autour, angoissé… La femme qui s'occupait des fleurs est un peu à l'écart, presque de dos, dans une attitude de grand découragement.

LA MÈRE *(avec la gravité factice d'un journaliste)*. – Quelles sont les limites de ton anticonformisme ?
GUIDO *(désorienté)*. – Je ne sais pas…
LA MÈRE. – Énoncez-moi, s'il vous plaît, la liste des dix choses de caractère pratique qui vous ennuient le plus dans la vie…
GUIDO. – Je ne me souviens pas…
LA MÈRE *(chagrinée)*. – Ah ! Guido, Guido… pourquoi tu agis comme ça ? *(Reprenant le ton du journaliste.)* Vous ne vous mentez jamais à vous-même ? Et alors, à quelle occasion ? *(Puis affligée.)* Tu te ronges encore les ongles ?

Plus bas, sur le sentier du cimetière passe un petit cortège : deux ou trois femmes en larmes, un officier des carabiniers en grand uniforme, une danseuse en tutu, elle aussi en larmes, deux clowns et trois enfants qui lèchent chacun une glace.

La madre ha appoggiato la testa sulla spalla di Guido e dice sommessamente, quasi piangendo, con un trasporto sempre più intenso :

MADRE. – Cosa devo fare, Guido ?... Faccio tutto quello che posso... Oh ! Guido, Guido.

E lo bacia, intensamente, disperatamente, non come una madre bacia il figlio. Infatti ora la donna che stringe Guido tra le braccia è Luisa, sua moglie. Guido sussulta all'improvviso quasi con orrore. Cerca di sciogliersi dall'abbraccio, con forza.

MOGLIE. – Sarai stanco, povero Guido. Adesso andiamo a casa.

E poiché Guido la guarda sgomento :

MOGLIE. – Non mi riconosci ? Sono Luisa, sono tua moglie. A che stai pansando ?

Corridoio e scale albergo. Interno. Notte.

111-114

Guido esce dalla sua camera in fondo al corridoio ; chiude a chiave la porta e viene verso il pianerottolo dello scalone, fermandosi accanto al cancello dell'ascensore. Preme il bottone di richiamo e

La mère a appuyé sa tête sur l'épaule de Guido et dit tout bas, presque en pleurant, avec des transports de plus en plus intenses :

LA MÈRE. – Que dois-je faire, Guido ?... Je fais déjà tout ce que je peux... Oh ! Guido, Guido !

Et elle l'embrasse, intensément, désespérément, mais non pas comme une mère embrasse son fils. En effet, la femme qui serre maintenant Guido dans ses bras est Luisa, sa femme.
Guido sursaute soudain, presque horrifié. Avec force, il essaie de se libérer de l'étreinte.

L'ÉPOUSE. – Tu dois être fatigué, mon pauvre Guido. On va rentrer à la maison maintenant.

Et comme Guido la regarde effaré :

L'ÉPOUSE. – Tu ne me reconnais pas ? Je suis Luisa, je suis ta femme. A quoi penses-tu ?

Couloir et escalier de l'hôtel. Intérieur. Nuit.

111-114

Guido sort de sa chambre située au fond du couloir ; il ferme la porte à clé, avance vers le palier du grand escalier et s'arrête près de la grille de l'ascenseur. Il

aspetta, appoggiandosi al muro, con lo sguardo a terra.
Ad un tratto, come sentendo accanto a sé una presenza, leva gli occhi lentamente : a pochi passi da lui è ferma la ragazza bruna che già gli è apparsa alla fonte.
Gli sorride come in attesa. Guido sorride a sua volta ; fa di nuovo il tentativo di parlare, ma il suo sorriso denota una rassegnazione anticipata, una anticipata confessione di impotenza.

GUIDO. – Ma tu...

La ragazza, dopo un altro istante di sospensione, scuote la testa sempre sorridendo, in senso di tenero compatimento e di delusione ; poi scompare.

Corridoio e scale albergo. Interno. Notte.

115-119

La grande cabina dell'ascensore scende lentamente e si ferma. Guido apre il cancelletto, mentre dall'interno il lift fa scorrere la portiera.
Ritto di fronte a Guido, che fa l'atto di entrare, c'è nella cabina un vecchio prelato, che la croce d'oro e i bottoni rossi denunciano per un principe della Chiesa. È cereo in volto, con gli occhi fissi nel

presse le bouton d'appel et attend, en s'appuyant contre le mur et en regardant vers le sol.
Tout d'un coup, comme s'il sentait près de lui une présence, il lève lentement les yeux : à quelques pas se trouve, sans bouger, la jeune fille brune qui lui est apparue à la source.
Elle lui sourit comme si elle attendait. Guido sourit à son tour ; il fait de nouveau une tentative pour parler, mais son sourire dénote une résignation anticipée, un aveu anticipé d'impuissance.

GUIDO. – Mais toi…

La jeune fille, après un temps d'arrêt, secoue la tête toujours en souriant, avec un air de compassion tendre et de déception ; puis elle disparaît.

Couloir et escalier de l'hôtel. Intérieur. Nuit.

115-119

La grande cabine de l'ascenseur descend lentement et s'arrête. Guido ouvre la grille, tandis que de l'intérieur le garçon d'ascenseur fait glisser la porte.
Dans la cabine, debout devant Guido qui s'apprête à entrer, il y a un vieux prélat : sa croix d'or et ses boutons rouges révèlent qu'il s'agit d'un prince de l'Église. Son visage est cireux, ses yeux fixés dans le

vuoto, accanto a lui c'è un pretino premuroso e attento.
Guido ha un attimo di esitazione, tanto più che sembra che il cardinale non lo abbia nemmeno visto ; tuttavia, sempre senza guardarlo, gli fa un lievissimo cenno della testa, come per invitarlo ad entrare.
Guido entra ; il lift chiude cancello e porta e l'ascensore torna ad avviarsi verso il pianterreno.

Cabina ascensore. Albergo terme.
Interno. Notte.

120-124

Guido si è addossato alla parete dell'ascensore opposta a quella cui è appoggiato, lievemente, il cardinale. Il silenzio è pieno di disagio. Guido fissa quella figura cerea ed enigmatica, che continua ad ignorarlo.
Finalmente l'ascensore raggiunge il pianterreno e si ferma.
Il lift apre la porta e cancello e si fa da parte per lasciar passare il prelato, il quale, con un nuovo lievissimo cenno di testa, esce dalla cabina sfiorando appena il pavimento, subito seguito dal pretino che sembra volergli offrire il braccio e sostenerlo ad ogni passo.

vide ; il y a près de lui un jeune prêtre empressé et attentif.
Guido a un instant d'hésitation, d'autant plus qu'il semble que le cardinal ne l'a même pas vu ; cependant, toujours sans le regarder, celui-ci lui fait un très léger signe de la tête, comme pour l'inviter à entrer.
Guido entre ; le garçon d'ascenseur ferme la grille et la porte, et l'ascenseur recommence à descendre vers le rez-de-chaussée.

Cabine ascenseur. Hôtel des thermes.
Intérieur. Nuit.

120-124

Guido s'est adossé à la cloison de l'ascenseur qui se trouve à l'opposé de celle à laquelle est appuyé, légèrement, le cardinal. Il règne un silence gêné. Guido fixe ce visage cireux et énigmatique qui continue à l'ignorer.
Enfin, l'ascenseur parvient au rez-de-chaussée et s'arrête.
Le garçon d'ascenseur ouvre la porte et la grille, puis s'écarte pour laisser passer le prélat qui, avec un nouveau très léger signe de tête, sort de la cabine en effleurant à peine le sol, suivi aussitôt par le petit prêtre qui semble vouloir lui offrir son bras et le soutenir à chaque pas.

Guido si inchina leggermente ed esce a sua volta, dopo i due sacerdoti.

Hall. Albergo terme. Interno. Notte.

125-145

Due preti anziani, che stavano seduti in un angolo della hall affollata, si alzano subito e si fanno incontro al cardinale baciandogli l'anello, e riunendosi in gruppo, con lui e col pretino, a parlare a mezza voce. Guido, uscito dall'ascensore, ha seguito con lo sguardo il cardinale e il suo incontro con coloro che lo attendono. Ma subito qualcuno gli si avvicina e lo interpella ; è un uomo dall'aspetto servile ed equivoco, vestito con una certa eleganza pacchiana. Si chiama Cesarino ed è l'ispettore di produzione.

CESARINO. – Buongiorno, dottore. Ho portato i vecchi.

Guido è sorpreso, già irritato e sulla difensiva.

CESARINO. – Per il padre…

Guido s'incline légèrement et sort à son tour, à la suite des deux prêtres.

Hall. Hôtel des thermes. Intérieur. Nuit.

125-145

Deux prêtres âgés, qui se tenaient assis dans un coin du hall où une foule se presse, se lèvent tout de suite et vont à la rencontre du cardinal pour baiser son anneau et, en parlant à mi-voix, s'unissent à lui et au petit prêtre pour former un seul groupe. Guido, sorti de l'ascenseur, a suivi du regard le cardinal et sa rencontre avec ceux qui l'attendent. Mais aussitôt quelqu'un s'approche de lui et l'interpelle ; c'est un homme à l'aspect servile et équivoque, habillé avec une certaine élégance tapageuse. Il s'appelle Cesarino et c'est l'inspecteur de production.

CESARINO. – Bonjour, dottore[1]. J'ai amené les vieux.

Guido est surpris, déjà irrité et sur la défensive.

CESARINO. – Pour le père…

1. Titre extrêmement banal et répandu en Italie, qui vaut pour le français « monsieur », bien que, littéralement, il signifie « docteur » [NdT].

È subito interrotto e scavalcato da un altro tipo, che aspettava, anche lui, Guido al varco, e che ora lo prende sottobraccio, trascinandolo con sé e abbordando senza preamboli il discorso che gli sta a cuore, in un tono aggressivo appena velato dal rispetto dovuto al regista.
Questo nuovo venuto è un uomo massiccio, quadrato con il volto dai forti zigomi da statua romana, sotto i capelli neri tagliati a spazzola cortissimi. È il direttore di produzione e si chiama Bruno.
Gli sta accanto un signore di mezza età, con cappotto, cappello e sciarpa, e una grande borsa sotto il braccio, rispettosissimo e silenzioso : il cassiere.

BRUNO. – Senti, o lo facciamo in cemento armato, e costa 50 milioni, o la faccamo in legno, e l'assicurazione non copre il rischio. Che vuoi fare ?

Irritato, Guido scioglie il suo braccio da quello dell'altro.

GUIDO. – Guarda, non mi devi prendere per il braccio. Scusa, sai, ma è una cosa che mi dà fastidio. E mettiti la cravatta.

Bruno si contiene a stento.

BRUNO. – Va bene, quest'altra volta mi metto il frack. Io all'ingegnere gli dico che pianto tutto e me ne vado…

Il est tout de suite interrompu et supplanté par un autre type qui, lui aussi, attendait Guido au passage, et qui le prend maintenant par le bras, l'entraînant avec lui et abordant sans préambule la question qui lui tient à cœur, sur un ton agressif à peine dissimulé par le respect qui est dû au metteur en scène.
Ce nouveau venu est un homme massif, carré, avec un visage aux fortes pommettes de statue romaine, sous des cheveux noirs en brosse coupés très court. C'est le directeur de la production et il s'appelle Bruno.
Un monsieur d'âge moyen se trouve à côté de lui, portant manteau, chapeau et écharpe, et une grande serviette sous le bras, très respectueux et silencieux : le caissier.

BRUNO. – Écoute, soit on le fait en béton, et ça coûte 50 millions, soit on le fait en bois, et l'assurance ne couvre pas les risques. Qu'est-ce que tu veux faire ?

Irrité, Guido détache son bras de celui de Bruno.

GUIDO. – Écoute, je ne veux pas que tu me prennes le bras. Excuse-moi, mais c'est quelque chose qui me déplaît. Et mets donc une cravate.

Bruno se retient avec peine.

BRUNO. – D'accord, la prochaine fois je mettrai un frac. Moi, je m'en vais dire au producteur que je plante tout là et que je pars…

Guido non l'ascolta più. Da una poltrona poco discosto, una ragazza elegante, alta, magra, gli sta facendo un cenno di richiamo e di saluto con la mano, come per segnalare la sua presenza. Dice, in tono di cortesia agrodolce :

EDY. – Finalmente !…

Guido interrompe Bruno chiedendogli, molto seccato :

GUIDO. – Ma chi l'ha fatta venire quella là ?…

Intanto un uomo coi capelli bianchi sul volto roseo, con occhiali e cappotto nero distintissimo, si è alzato dal divano, ove stava seduto con Carini accanto a Edy, ed è venuto incontro a Guido ; è l'agente della ragazza, Mattia.

MATTIA. – Si può salutare il poeta ? Stai proprio bene.

Prende Guido sottobraccio e lo conduce verso la poltrona di Edy, dicendogli in tono di cordialità e confidenzialità, un po' ammonitore :

MATTIA. – Guarda che le ho fatto perdere due contratti per aspettare. E poi stiamo ancora aspettando il copione… Io ti posso essere utile…

Guido ne l'écoute plus. D'un fauteuil peu éloigné, une jeune fille élégante, grande et maigre, lui fait, avec la main, un geste d'appel et de salutation, comme pour signaler sa présence. Elle dit, sur un ton de courtoisie aigre-doux :

EDY. – Enfin !…

Guido, en colère, interrompt Bruno pour lui demander :

GUIDO. – Mais qui l'a fait venir celle-là ?…

Entre-temps un homme aux cheveux blancs surmontant un visage tout rose, avec des lunettes et un manteau noir, très distingué, s'est levé du divan où il était assis avec Carini près d'Edy et est venu à la rencontre de Guido ; c'est Mattia, l'agent de la jeune fille.

MATTIA. – Peut-on dire bonjour au poète ? Tu as l'air d'aller bien.

Il prend Guido sous le bras et le conduit vers le fauteuil d'Edy, en lui disant sur un ton cordial et confidentiel, mais comme si c'était un avertissement :

MATTIA. – Tu dois savoir que je lui ai fait perdre deux contrats pour lui avoir demandé d'attendre. Et nous n'avons toujours pas le scénario… Je peux t'aider…

Intanto Guido ha baciato la mano che Edy gli porge mollemente, senza alzarsi, e dicendo in tono di scherzo un po' aggressivo e ostile :

EDY. – Io so solo questo : che devo cambiare un sacco di vestiti e devo parlare francese. Poi mi ha detto che devo mangiare la pastasciutta, ed è da un mese che la mangio. Sono aumentata tre chili.

Guido coglie l'occasione per sviare il discorso, e, intanto, palpare un po' la ragazza. Le tocca scherzosamente le cosce.

GUIDO. – Dove ?... Fa sentire.

Edy ignora la cosa, e si rivolge a Carini.

EDY. – Lei è lo sceneggiatore, no ?... C'è questa parte ?

Carini, molto seriamente, interpella Guido.

CARINI. – Che cosa devo fare ?

Guido sta salutando un giornalista inglese, vestito con eleganza sportiva, che sta sprofondato in una poltrona, poco più in là, con un bicchiere in mano.

GUIDO. – Adesso vediamo... Hello !...

Entre-temps, Guido a baisé la main qu'Edy lui a tendu mollement, sans se lever, et elle dit en plaisantant sur un ton un peu agressif et hostile :

EDY. – Moi, tout ce que je sais, c'est que je dois faire beaucoup de changements de costumes et je dois parler français. Et il m'a dit aussi de manger de la « pastasciutta », ça fait un mois que j'en mange. J'ai pris trois kilos.

Guido saisit l'occasion pour détourner la conversation et, pendant ce temps, palper un peu la fille. En plaisantant, il lui tâte les cuisses.

GUIDO. – Où ça ?… Fais-moi toucher.

Edy ignore son geste et s'adresse à Carini.

EDY. – Le scénariste, c'est vous, n'est-ce pas ? Ce rôle, il existe ?

Carini, très sérieux, s'adresse à Guido.

CARINI. – Qu'est-ce que je dois faire ?

Guido est en train de saluer un journaliste anglais, habillé avec une élégance sportive, enfoncé dans un fauteuil, un peu plus loin, avec un verre à la main.

GUIDO. – Nous allons voir… Hello !…

Dinoccolato, e con un umorismo distaccato, l'altro dice :

GIORNALISTA INGLESE. – I don't want bother you... L'albergo è bello... il bar all right... But I have only two questions...

Guido gli sorride, propiziatorio, facendogli cenni di assicurazione.

GUIDO. – Più tardi, senz'altro...

Poi si ritrova tra i piedi Cesarino.

GUIDO. – ... Che vuoi, tu ?
CESARINO. – I tre vecchi.

Guido si volge al Giornalista.

GUIDO. – Excuse me...

Da un divano, all'avvicinarsi di Guido si alzano in piedi servili e ansiosi tre anziani generici decorosamente vestiti.
Guido fa un breve cenno di saluto mentre li guarda, scrutandoli, ma già infastidito dalla loro aria propiziatoria.

GUIDO. – Benissimo, benissimo...

Nonchalant, et avec un humour détaché, l'autre répond :

LE JOURNALISTE ANGLAIS. – I don't want bother you… L'hôtel est beau… le bar all right… But I have only two questions…

Guido lui sourit, encourageant, en lui faisant des signes pour le rassurer.

GUIDO. – Plus tard, sans problème…

Puis il se retrouve avec Cesarino entre ses pattes.

GUIDO. – … Qu'est-ce que tu veux, toi ?
CESARINO. – Les trois vieux.

Guido se retourne vers le journaliste.

GUIDO. – Excuse me…

A l'approche de Guido, trois figurants, des vieillards, convenablement habillés, se lèvent du divan où ils sont assis, avec une expression servile et anxieuse. Guido fait un rapide signe de salutation tout en les regardant, en les scrutant, mais déjà agacé par leur air de victime.

GUIDO. – Très bien, très bien…

E fa per allontanarsi. Cesarino lo trattiene, domandandogli :

CESARINO. – Quale piglia, dottore ?…
GUIDO. – Non sono abbastanza vecchi…

Cesarino, esageratamente stupito, risponde :

CESARINO. – E che vo', tre cadaveri ?

Ridacchia loscamente e, indicando uno dei vecchi, aggiunge :

CESARINO. – Questo è morto da due mesi !

Il vecchio che Cesarino ha indicato abbozza un sorriso umile, penzolando e allargando le braccia come per dire che è proprio così, che è morto.

Night-club. Interno. Notte.

146-180

Di notte le terme cambiano aspetto, il padiglione centrale diventa una specie di grottesco night-club. Sotto tende e ombrelloni da spiaggia che coprono gli spettatori dall'umidità, vengono posti tavoli tutto intorno alla pista da ballo i cui bordi sono illuminati violente-

Et il fait mine de s'en aller. Cesarino le retient et lui demande :

CESARINO. – Lequel vous prenez, dottore ?...
GUIDO. – Ils ne sont pas assez vieux...

Cesarino, exagérant son étonnement, répond :

CESARINO. – Mais quoi ! vous voulez trois cadavres ?

Il ricane bassement et, en louchant vers un des vieillards, il ajoute :

CESARINO. – Celui-ci est mort depuis deux mois !

Le vieillard que Cesarino a indiqué esquisse un sourire humble, en laissant pendre et écartant les bras comme pour dire que c'est vraiment ça, qu'il est mort.

Night-club. Intérieur. Nuit.

146-180

La nuit, les thermes changent d'aspect, le pavillon central devient une sorte de grotesque night-club. Sous des tentes et des parasols qui protègent les spectateurs de l'humidité, des tables sont placées tout autour de la piste de bal dont les bords sont violem-

mente da una luce al neon. Altre lampade al neon sono tra gli alberi. Un riflettore invece illumina l'orchestra, altri riflettori seguono gli artisti che fanno i numeri di varietà.
La clientela è ricca, soddisfatta, in vacanza. Donne anziane in stola di visone, facce opache di mariti, un pubblico che si contenta facilmente. Attorno ai due tavoli riuniti c'è una comitiva di cui fa parte Guido. Gli altri sono : Carini, il comm. Pace, produttore cinematografico, in compagnia di un'attricetta assai vistosa (che non parla).

Terme. Night-club. Esterno. Notte.

Appunti per la scena

L'atteggiamento di Pace verso Guido deve essere di grande stima ed ammirazione, tanto che Guido se ne sente ancora più a disagio. Il giornalista inglese ogni tanto gli rifila una domanda scanzonata, ma precisa e impegnativa ; Guido ne è profondamente seccato, e cerca sempre di evitare risposte cui non è preparato.

Gloria (forse) complice con Guido (?).

ment éclairés par une lumière au néon. D'autres lampes au néon sont placées dans les arbres. Un projecteur éclaire l'orchestre, d'autres projecteurs suivent les artistes qui font des numéros de variété. La clientèle en vacances est riche, satisfaite. Des femmes âgées en étole de vison, les visages opaques des maris, un public facile à contenter. Autour des deux tables réunies, il y a un groupe d'amis dont Guido fait partie. Les autres sont : Carini, le « commendator » Pace, le producteur de cinéma, en compagnie d'une starlette très voyante (qui ne parle pas).

Thermes. Night-club. Extérieur. Nuit.

Notes pour la scène

L'attitude de Pace à l'égard de Guido doit être celle d'une grande estime et d'une grande admiration, au point que Guido en est encore plus mal à l'aise. Le journaliste anglais lui glisse de temps à autre une question sur un ton persifleur, mais nette et précise ; Guido est profondément ennuyé et cherche toujours à éviter de donner des réponses auxquelles il n'est pas préparé.

Gloria (peut-être) complice de Guido (?).

Mezzabotta, Gloria, Bruno, Edy
con il suo agente Mattia, e il giornalista inglese.

Guido è in uno stato di leggero incanaglimento, ascolta il lungo discorso confidenziale che Mezzabotta gli fa a mezza voce, e a tratti interviene, con compiacimento buffonesco, nei discorsi banalissimi e volgari della tavolata.
Ad un tavolino poco discosto sta seduta, sola e contegnosa, Carla, la quale ogni tanto rivolge uno sguardo studiatamente distratto verso la tavola di Guido, e Guido a tratti si ricorda di lei, la cerca con gli occhi con preoccupazione quasi paterna, e subito torna a dimenticarsene.
Sulla pista si sta svolgendo il numero di Maurice e Maya : lui un uomo sui quaranta, dal portamento sicuro ed elegante, in marsina ; lei una bella ragazza bruna in abito di lamé, molto aderente. Ha gli occhi ricoperti da una benda nera e sta ritta, immobile, accanto ad una lavagna, mentre il compagno parla al pubblico con la disinvoltura marcata dei presentatori, segnata da un leggero accento straniero.

MEZZABOTTA. – Lo so, dentro di te penserai, che mi sono rimbecillito… Ho trentanni più di lei… e con ciò ? Sarò uno scemo, un vecchio imbecille, quello che paga, va bene, ti concedo tutto… E con ciò ?

Mezzabotta, Gloria, Bruno, Edy avec son agent Mattia et le journaliste anglais.

Guido est en train de s'encanailler légèrement, il écoute le long discours confidentiel que Mezzabotta lui tient à mi-voix, et intervient par moments, avec une complaisance comique, dans les conversations très banales et vulgaires des gens attablés.
A une table qui ne se trouve pas trop éloignée est assise, seule et réservée, Carla, qui adresse de temps en temps un regard délibérément distrait vers la table de Guido, et celui-ci, par moments, se souvient d'elle, la cherche du regard avec une préoccupation presque paternelle, puis de nouveau l'oublie aussitôt.
Sur la piste se déroule entre-temps le numéro de Maurice et Maya : lui, c'est un homme sur la quarantaine, d'allure élégante et décidée, en frac ; elle, une belle fille brune dans une robe en lamé, très collante. Ses yeux sont recouverts d'un bandeau noir et elle se tient debout, immobile, près d'un tableau noir, tandis que son compagnon parle au public avec la désinvolture insistante des présentateurs, soulignée par un léger accent étranger.

MEZZABOTTA. – Je sais, dans ton for intérieur, tu dois penser que je suis devenu gâteux… J'ai trente ans de plus qu'elle… et alors ? Je suis peut-être un idiot, un vieux gâteux, celui qui paie, d'accord, je te l'accorde… Et alors ?

GUIDO. – Ma no, perché ?… Io, figurati !…
MEZZABOTTA. – Capisci il ragionamento ? Perché decide di mettersi con me ? Per i soldi ? Certo. Ma intanto ci sta. Non mi faccio illusioni, io. I soldi, d'accordo. Eppure me la sento vicina, come mai mi è successo nella vita. Tu la vedi. È semplice, buona, non stupida, ha tutti i numeri. Solo per i soldi ? Ma ci sono tanti giovani, con i soldi, oggi ! Quanti ne vuoi.
GUIDO. – Certo, per forza, ti vuole anche bene…

Sono interrotti da un applauso del pubblico ; sulla pedana, Maya, ad occhi bendati, ha terminato di scrivere a grandi caratteri con gesso, sulla lavagna, un numero di sette cifre ; Maurice si inchina, continuando.

MAURICE. – Togliamoci il dubbio che possa trattarsi di una semplice combinazione o, peggio, di un trucco… Io trasmetto realmente il mio pensiero a Mademoiselle Maya…

Così dicendo Maurice scende adagio dalla pedana, e incomincia a circolare tra il pubblico, sempre parlando.
Intorno alla tavolata, la conversazione prosegue.

GUIDO. – Mais pas du tout, pourquoi ? Moi, penses-tu !…
MEZZABOTTA. – Tu saisis mon raisonnement ? Pourquoi décide-t-elle de rester avec moi ? Pour l'argent ? C'est sûr. Mais en attendant elle est là. Je ne me fais pas d'illusions, moi. L'argent, d'accord. Et pourtant je la sens proche de moi, comme jamais cela ne m'est arrivé dans la vie. Tu vois comment elle est. Elle est simple, gentille, elle n'est pas bête, elle a tout ce qu'il faut. Uniquement pour l'argent ? Mais il y a tant de jeunes qui ont de l'argent, aujourd'hui ! Autant qu'on en veut.
GUIDO. – Oui, c'est obligé, elle t'aime aussi…

Ils sont interrompus par un applaudissement du public ; sur l'estrade, Maya, les yeux bandés, a fini d'écrire avec de la craie sur le tableau noir, en gros caractères, un numéro à sept chiffres ; Maurice remercie en s'inclinant et continue.

MAURICE. – Il ne faut pas qu'il y ait le moindre doute : il ne s'agit pas d'un simple hasard, et moins encore d'un truquage… Je transmets réellement ma pensée à mademoiselle Maya…

Ce disant, Maurice descend lentement de l'estrade, et commence à circuler parmi le public, en continuant à parler.
Autour de la table, la conversation se poursuit.

PACE. – La verità è che oggi la moda delle donne belle è finita. Oggi ci vuole anche intelligenza…

Guido, col solito intervento un po' buffonesco, ribatte.

GUIDO. – Per favore, non parlate male dell'intelligenza, è diventato troppo facile ; e poi siamo circondati da cretini…

E torna a prestare orecchio al discorso di Mezzabotta, mentre dal fondo del tavolo, giunge ancora una battuta di Carini.

PACE. – Piace a noi, perché siamo intellettuali, ma al pubblico…
MEZZABOTTA. – Non ha fatto niente, sai per farmi decidere. Mai una parola su mia moglie, sulla mia famiglia, mai un rimprovero…
GUIDO. – Dove l'hai conosciuta ?
MEZZABOTTA. – Era compagna di scuola di mia figlia…

Gloria, incuriosita e un po' insospettita, interviene.

GLORIA. – Ma che state dicendo, voi due ?

PACE. – La vérité, c'est qu'aujourd'hui la mode des belles femmes est finie. Aujourd'hui il faut qu'elles aient aussi l'intelligence…

Guido intervient sur son ton habituel de plaisanterie comique :

GUIDO. – Je vous en prie, ne dites pas de mal de l'intelligence, c'est devenu trop facile ; et d'ailleurs, nous sommes entourés d'imbéciles…

Et il recommence à écouter les discours de Mezzabotta, tandis que du bout de la table arrive encore une boutade de Carini.

PACE. – Nous l'aimons, nous, parce que nous sommes intellectuels, mais le public…
MEZZABOTTA. – Elle n'a rien fait, tu sais, pour que je me décide. Jamais un mot sur ma femme, sur ma famille, jamais un reproche…
GUIDO. – Où l'as-tu connue ?
MEZZABOTTA. – C'était une camarade de classe de ma fille…

Gloria, intriguée et se doutant de quelque chose, intervient :

GLORIA. – Mais qu'est-ce que vous êtes en train de dire, vous deux ?

MEZZABOTTA. – Niente, niente… *(A Guido.)* Il futuro ? La vecchiaia ? Mi fai ridere… Lo so che tra dieci anni sarò vecchio…
GUIDO. – E tua moglie ?
MEZZABOTTA. – Non l'ha presa bene. La odia. E invece, lei, pensa, no ! Così adesso, tutto sommato, dimmi brutalmente : sono un fesso ?
GUIDO. – Ma no… Se le vuoi bene…
MEZZABOTTA. – Sì, le voglio bene… Perché è intelligente… Sa giudicare la gente, la vita… Andiamo d'accordo anche sessualmente, sai… Molto… Se ha scelto me, ci deve essere una ragione, non credi ?

Si rivolge al cameriere che passa e ordina :

MEZZABOTTA. – A me un altro wisky…
GLORIA. – No, tu niente wisky, limonata.

Mezzabotta, lusingato, dice comicamente a Guido.

MEZZABOTTA. – Già fa la moglie. Caschiamo bene.
GLORIA. – Ti prego, Puppi, non essere facile. Una limonata…

Attratti dal silenzio profondo che si è creato attorno a loro, anche quelli della tavolata si accorgono che

MEZZABOTTA. – Rien, rien… *(A Guido.)* L'avenir ? La vieillesse ? Tu me fais rire… Je sais bien que dans dix ans je serai vieux…
GUIDO. – Et ta femme ?
MEZZABOTTA. – Elle ne l'a pas du tout bien pris. Elle la déteste… Et Gloria, par contre non, c'est incroyable ! Et maintenant, pour finir, dis-moi brutalement : est-ce que je suis un con ?
GUIDO. – Mais non… Si tu l'aimes…
MEZZABOTTA. – Oui, je l'aime… Parce qu'elle est intelligente… Elle sait juger les gens, la vie… Nous sommes en accord même sexuellement, tu sais… Très… Si elle m'a choisi, il doit bien y avoir une raison, tu ne crois pas ?

Il s'adresse au serveur qui passe et commande :

MEZZABOTTA. – Pour moi, un autre whisky…
GLORIA. – Non, pas de whisky pour toi, un citron pressé.

Mezzabotta, flatté, dit comiquement à Guido :

MEZZABOTTA. – Elle joue déjà à l'épouse. Ça tombe bien.
GLORIA. – Je t'en prie, Puppi, c'est trop facile. Un citron pressé…

Les personnes autour de la table sont saisies par le silence profond qui s'est créé autour d'elles et se

Maurice è giunto a poca distanza da loro e sta eseguendo un altro esperimento. Si sente ancora la voce di Carini che dice :

CARINI. – Col 16 millimetri si fa tutto. Bastano 50 milioni…
MAURICE. – Écrivez, alors !… Allez-y…

Ritta davanti alla lavagna, con occhi sempre bendati, Maya scrive a lettere stampatello : « IL SERVIZIO È COMPRESO NELLE CONSUMAZIONI ».
L'esperimento è accolto con ilarità e forti applausi, mentre Maurice esibisce a destra e a sinistra il programma che ha in mano e lo rende ad un signore seduto ad un tavolino. Poi si avvicina sempre alla tavolata di Guido, parlando.

MAURICE. – Tengo a chiarire che i miei esperimenti non sono vietati dalla legge. Io non forzo la volontà di nessuno. Mi limito a trasmettere il mio pensiero. Come questo avvenga, non lo so, però avviene…

Si rivolge a Guido.

MAURICE. – … Prego, signore, vuole scrivere qui una frase, un'equazione, un verso… In una lingua qualsiasi… Non è necessario che io la conosca… né io, né Mademoiselle Maya…

rendent compte que Maurice est arrivé non loin d'eux et qu'il est en train de réaliser une autre expérimentation. On entend encore la voix de Carini disant :

CARINI. – Avec le 16 millimètres, on fait tout. Il suffit de 50 millions…
MAURICE. – Écrivez, alors !… Allez-y…

Debout devant le tableau, les yeux toujours bandés, Maya écrit en lettres capitales : « LE POURBOIRE EST COMPRIS DANS LE MONTANT DES CONSOMMATIONS ». L'expérimentation est accueillie avec hilarité et de forts applaudissements, tandis que Maurice exhibe à droite et à gauche la carte qu'il a entre les mains et la rend à un monsieur assis à une table. Puis il s'approche de plus en plus de la table de Guido, tout en parlant.

MAURICE. – Je tiens à souligner que mes expérimentations ne sont pas défendues par la loi. Je ne force la volonté de personne. Je me borne à transmettre ma pensée. Comment cela se fait, je ne le sais pas, mais cela a lieu…

Il s'adresse à Guido.

MAURICE. – … S'il vous plaît, Monsieur, voulez-vous écrire ici une phrase, une équation, un vers… dans une langue quelconque… Il n'est pas nécessaire que je la connaisse… ni moi, ni mademoiselle Maya…

Anzi, meglio se ci è sconosciuta... Prego, signore...

GUIDO. – Non so... Se vuol provare con altri... io...

MAURICE. – Una cosa qualsiasi...

GUIDO. – Lei può trasmettere tutto ?

MAURICE. – Tutto quello che lei scriverà...

Guido ha un lievissimo sorriso, come se gli balenasse un pensiero che lo diverte e lo interessa. Scrive rapidamente e consegna a Maurice il foglio. Questi legge, un po' malcerto, si piega su Guido chiedendogli un chiarimento sottovoce (si vede che non ha capito bene alcune lettere). Guido, sempre con quel sorriso, annuisce.

MAURICE. – Vous êtes prête, Mademoiselle ?

MAYA. – Oui.

Maurice osserva attentamente il foglietto, socchiude gli occhi, li riapre, si concentra, dice :

MAURICE. – Écrivez, allez-y !...

Maya, a stampatello, e un po' lentamente, scrive, a grossi caratteri :

« ASANISIMASA ».

Maurice legge, volgendosi verso Guido come per chiedere la sua approvazione, mentre il pubblico, incerto, aspetta in silenzio.

Au contraire, c'est mieux si nous ne la connaissons pas... S'il vous plaît, Monsieur...
GUIDO. – Je ne sais pas... Vous ne voulez pas essayer avec quelqu'un d'autre... moi...
MAURICE. – N'importe quoi...
GUIDO. – Vous pouvez tout transmettre ?
MAURICE. – Tout ce que vous allez écrire...

Guido a un très léger sourire, comme si une idée amusante et intéressante lui venait à l'esprit. Il écrit rapidement et remet la feuille à Maurice. Celui-ci lit, un peu incertain, il se penche vers Guido en lui demandant un éclaircissement à voix basse (on dirait qu'il n'a pas bien compris certaines lettres). Guido, toujours avec son sourire, acquiesce.

MAURICE. – Vous êtes prête, Mademoiselle ?
MAYA. – Oui.

Maurice observe attentivement la feuille, ferme ses yeux, les rouvre, se concentre et dit :

MAURICE. – Écrivez, allez-y !...

Maya, en grosses lettres capitales et assez lentement, écrit :
« ASANISIMASA ».
Maurice lit, se retournant vers Guido comme pour demander son approbation, alors que le public, incertain, attend en silence.

MAURICE. – « Asa-nisi-masa… » Giusto ?
GUIDO. – Giusto.

Il pubblico applaude, mentre Mezzabotta chiede a Guido :

MEZZABOTTA. – Che significa ?

Guido si stringe nelle spalle con un lieve sorriso un po' misterioso…

Cucina. Casa in campagna. Interno. Notte.

181-195

Due braccia di donna immergono in una tinozza di legno, piena di vino, un ragazzino di circa otto anni ; subito dopo un altro ragazzino quasi della stessa età viene immerso nella stessa tinozza. Gli strilli di gioia e di eccitazione dei due bambini riempiono la grande cucina rustica, tutta piena di ombre e di angoli scuri, illuminata da una lampada a petrolio e dai bagliori del fuoco che arde nel cammino.
Due donne anziane, la nonna, con un viso campagnolo coperto di fittissime rughe, e la balia, una donna robusta, ancora bionda, di mezza età, strofinano vigorosamente i due corpi nudi guazzanti nel vino. L'eccitazione dionisiaca dei ragazzini aumenta

MAURICE. – « Asa-nisi-masa… » C'est cela ?
GUIDO. – C'est cela.

Le public applaudit, pendant que Mezzabotta demande à Guido :

MEZZABOTTA. – Qu'est-ce que ça signifie ?

Guido hausse les épaules avec un léger sourire un peu mystérieux…

Cuisine. Maison de campagne. Intérieur. Nuit.

181-195

Deux bras de femme plongent dans un baquet en bois, plein de vin, un garçon d'environ huit ans ; tout de suite après, un autre garçon du même âge environ est plongé dans le même baquet. Les cris de joie et d'excitation des deux enfants remplissent la grande cuisine rustique, pleine d'ombres et de coins sombres, éclairée par une lampe à pétrole et par les lueurs du feu qui brûle dans la cheminée.
Deux vieilles femmes, la grand-mère, avec un visage de paysanne couvert d'un réseau de rides très serré, et la nourrice, une femme robuste, encore blonde, d'un âge moyen, frottent vigoureusement les deux corps nus qui barbotent dans le vin. L'excitation

sempre, trasformandosi in una sfrenata felicità un po' ebbra. Essi si spruzzano a vicenda, gridano, ridono a scroscio, cercano di leccare il vino, si urlano frasi in cui le parole vengono raddoppiate secondo il comune gioco infantile.

MICHELE. – Nonna !... Gui-si-do-so be-se-ve-se il vi-si-no-so !...
GUIDO. – Anche lui !... Nonna !... Anche Michele !... Mi-si-che-se-le-se si è usu-bri-aca...

Mezzo ebbro e stordito dalle risate, Guido si è impaperato : l'altro risponde, ridendo a scroscio.

MICHELE. – Usi-brisi-asi...

Nemmeno lui non ci riesce ; in un crescendo di risate folli e felici, Guido ritenta.

GUIDO. – ... usi-brico-si-così...

I due ragazzini si spruzzano a vicenda, travolti... Le due donne, che hanno continuato a strofinarli, ripetono sempre più brusche e a voce alta, finendo per affibbiare uno scappellotto vigoroso, che aumenta ancora l'allegria :

dionysiaque des deux enfants augmente de plus en plus et se transforme en un bonheur effréné et un peu ivre. Ils s'éclaboussent réciproquement, crient, rient en cascade, cherchent à lécher le vin, ils hurlent l'un vers l'autre des phrases où les syllabes des mots sont redoublées selon un jeu enfantin ordinaire.

MICHELE. – Grand-mère !... Gui-si-do-so boit-soi le-se vin-sin !...
GUIDO. – Lui aussi !... Grand-mère !... Michele aussi !... Mi-si-che-se-le-se s'est-saoû-sé-lé...

A moitié ivre et étourdi par les rires, Guido finit par bafouiller : l'autre répond par une cascade de rires.

MICHELE. – Saoû-sou-lé...

Lui non plus n'y parvient pas ; en un crescendo de rires fous et heureux, Guido essaie de nouveau.

GUIDO. – ... saoû-sé-lé-so...

Les deux garçons s'éclaboussent réciproquement, avec emportement... Les deux femmes, qui ont continué à les frotter, répètent de plus en plus brusquement et à voix haute, en finissant par flanquer une claque vigoureuse, qui augmente encore l'allégresse :

NONNA E BALIA. – Stai fermo !… – Giù le mani !… – Non leccare !… – Fermo, t'ho detto !… – Hai capito ? Le vuoi ?… – Guarda che le prendi !… – To' !…

Ora i due bambini vengono sollevati di peso, uno appresso all'altro, e avvolti come mummie in asciugamani. Le due donne li strofinano vigorosamente, mentre essi continuano a ridere e a scalciare.

BALIA. – Fa bene, fa bene !… Vedrai come ti senti forte, domani !… Fermo, fermo…
NONNA. – A letto… A dormire…

Sollevati tra le braccia forti e sicure delle vecchie, e sempre avvolti fino al capo negli asciugamani, i ragazzini vengono portati verso la camera da letto, su per le scale semibuie.
Il viso quadrato e calmo della balia sta sopra agli occhi di Guido, che si sente trasportato con lento ondeggiare su per le scale, in una penombra sempre più fitta ; un senso di abbandono totale, di felice sicurezza lo invade… Le ombre ballano intorno a lui, i soffitti si perdono nel buio.

LA GRAND-MÈRE ET LA NOURRICE. – Ne bouge pas !… – Baisse les mains !… – Ne lèche pas ça !… – Je t'ai dit de ne pas bouger !… – T'as compris ? Tu veux que… ? – Je ne vais pas te rater !… – Tiens !…

Les deux enfants sont à présent soulevés en l'air, l'un après l'autre, et enveloppés comme des momies dans des serviettes. Les deux femmes les frottent vigoureusement, tandis qu'ils continuent à rire et à lancer des coups de pied.

LA NOURRICE. – Ça fait du bien, ça fait du bien !… Tu vas voir demain comme tu vas te sentir fort !… Ne bouge pas, ne bouge pas…
LA GRAND-MÈRE. – On se couche… On dort…

Soulevés par les bras forts et sûrs des deux vieilles femmes, les deux enfants, la tête toujours enveloppée dans les serviettes, sont portés dans la chambre à coucher, par des escaliers assez sombres.
Le visage carré et calme de la nourrice se trouve au-dessus des yeux de Guido, qui se sent transporté par un doux balancement à travers l'escalier dans une pénombre de plus en plus dense ; une sensation d'abandon total, d'heureuse certitude l'envahit… Les ombres dansent autour de lui, les plafonds se perdent dans le noir.

Camera letto. Casa in campagna.
Interno. Notte.

196-200

Guido viene deposto in un grande letto a baldacchino, al fondo di una vasta stanza rustica, scarsamente illuminata da un lumino a petrolio.
Le coperte sono tenute sollevate, nell'interno, dall'armatura del « prete », che la balia ritrae dal letto, sistemandovi il ragazzino.
Guido si rintana nel letto caldo, con una beatitudine primordiale, totale.
Sente sempre più confusamente il sordo borbottio della balia, le cui mani gli rincalzano le coperte, e il cui viso si piega su di lui, si allontana, torna ad avvicinarsi, nell'incerta luce della lucernetta. Distintamente, sente soltanto le parole :

BALIA. – Il segno della croce. Nel nome del Padre, del Figliolo e dello Sprito Santo...

Guido, sotto le coperte, si segna rapidamente, già mezzo addormentato.
Con gli occhi socchiusi, segue il pacato movimento delle due vecchie per la stanza, ma non si accorge nemmeno del momento in cui esse escono ; i suoi occhi vagano sulle misteriose linee del baldacchino che gli sta sul capo, sui mobili perduti nella fitta

Chambre à coucher. Maison de campagne. Intérieur. Nuit.

196-200

Guido est déposé dans un grand lit à baldaquin, au fond d'une vaste chambre rustique, faiblement éclairée par une petite lampe à pétrole.
Les couvertures sont soulevées, de l'intérieur, par l'armature du « moine », que la nourrice retire du lit, en y plaçant l'enfant.
Guido se blottit dans le lit tout chaud, avec une expression de béatitude primordiale, totale.
Il entend de plus en plus confusément les murmures sourds de la nourrice, dont les mains bordent maintenant ses couvertures, et dont le visage se penche au-dessus de lui, s'éloigne, se rapproche dans la lumière incertaine de la petite lampe. Il n'entend, distinctement, que ces mots :

LA NOURRICE. – Le signe de la croix. Au nom du Père, du Fils et du Saint-Esprit…

Guido, sous les couvertures, se signe rapidement, déjà à moitié endormi.
Les yeux mi-clos, il suit les mouvements calmes des deux vieilles à travers la chambre, mais il ne s'aperçoit même pas du moment où elles sortent ; ses yeux se perdent sur les mystérieuses lignes du baldaquin qui se trouve au-dessus de sa tête, sur les meubles

penombra, sui riflessi tenui della lucerna sopra i muri bianchi di calce.
Il vento fa scricchiolare le persiane, e a tratti si ingolfa sotto le soffitte con lunghi ululati.
Guido, rannicchiato sotto le coperte, naviga in un torpore abbandonato, misterioso, carico di felicità inconsapevole...

Hall. Albergo terme. Interno. Notte.

201-215

È notte alta.
Guido rientra in albergo, da solo. Il portiere è mezzo addormentato, ciondolante dietro il banco. Sente i passi di Guido, socchiude gli occhi, li apre interamente.

PORTIERE. – Dottore, hanno telefonato due volte per lei, da Roma... Sua moglie.

Guido ha un attimo di disappunto, quasi impercettibile.

GUIDO. – Quando?
PORTIERE. – La prima volta, un'ora fa, e adesso. Saranno dieci minuti...

perdus dans la pénombre dense, sur les faibles reflets de la lampe, sur les murs blanchis à la chaux.
Le vent fait craquer les persiennes et s'engouffre par moments dans les greniers avec de longs hurlements.
Guido, recroquevillé sous les couvertures, navigue dans une torpeur abandonnée, mystérieuse, pleine d'un bonheur inconscient...

Hall. Hôtel des thermes. Intérieur. Nuit.

201-215

Il est tard dans la nuit.
Guido rentre à l'hôtel, seul. Le portier est à moitié endormi, sa tête s'incline derrière le comptoir. Il entend les pas de Guido, entrouvre les yeux puis les ouvre entièrement.

LE PORTIER. – Dottore, il y a eu deux appels téléphoniques de Rome pour vous... Votre femme.

Guido a un instant de désappointement, presque imperceptible.

GUIDO. – Quand ?
LE PORTIER. – La première fois, il y a une heure, puis juste à l'instant. Ça doit faire dix minutes...

Ancora un lampo di disappunto appare sul viso di Guido.
Poi dice al portiere :

GUIDO. – Mi chiami Roma, per favore : 794 722. La chieda urgente.
PORTIERE. – Non c'è bisogno. A quest'ora la danno subito. Gliela passo in camera ?
GUIDO. – No. Me la dia qui.

Mentre il portiere chiede la comunicazione, il cassiere della produzione esce dalla penombra delle scale e gli si fa incontro, dicendogli a mezza voce :

CASSIERE. – È arrivato l'attore americano... Sta di là... Aspetta da due ore...

Guido ha un moto di curiosità e insieme di vivo fastidio. Si dirige verso lo stanzone deserto che sta dietro alla hall, e quasi con cautela si sporge a guardare. Sprofondato in una poltrona, un uomo alto, elegante, dorme con il capo abbandonato sullo schienale.
Il cassiere fa l'atto di muoversi per destarlo, ma Guido lo ferma subito.

GUIDO. – No, no... Lascialo stare... Domani...

Une nouvelle lueur de désappointement apparaît sur le visage de Guido.
Puis il dit au portier :

GUIDO. – Appellez-moi Rome, s'il vous plaît : le 794 722. Demandez-le en urgence.
LE PORTIER. – Ce n'est pas nécessaire. A cette heure-ci, on donne tout de suite la communication. Je vous la passe dans votre chambre ?
GUIDO. – Non. Je vais la prendre ici.

Pendant que le portier demande la communication, le caissier de la production sort de la pénombre des escaliers et va à sa rencontre en lui disant à mi-voix :

LE CAISSIER. – L'acteur américain est arrivé… Il est par là… Il attend depuis deux heures…

Guido à un mouvement de curiosité et en même temps de vif ennui. Il se dirige vers la grande pièce déserte qui se trouve derrière le hall, et se penche pour regarder, presque précautionneusement.
Enfoncé dans un fauteuil, un homme, grand, élégant, dort, la tête abandonnée sur le dossier.
Le caissier veut s'avancer pour le réveiller, mais Guido l'arrête aussitôt.

GUIDO. – Non, non… Laisse-le dormir… Demain…

E si volge verso la hall, dove intanto squilla il telefono.
Il portiere, dal suo banco, dopo aver risposto fa cenno a Guido indicandogli la cabina.

PORTIERE. – Pronto, Roma, dottore…

Guido, invece di andare nella cabina, si avvicina al banco e prende il ricevitore dalle mani del portiere.

GUIDO. – Pronto, sì…

La voce della signorina del centralino risuona professionalmente :

VOCE CENTRALINISTA. – Roma… In linea… Parli pure…

Quasi subito nel telefono risuonano voci confuse e animate, mentre Guido riprende :

GUIDO. – Pronto ! Luisa ?…

Nel microfono si sente una voce di uomo che dice forte, quasi scherzosamente :

VOCE ANDREA. – Eccolo, Luisa !…

Poi subito si inserisce una voce femminile che ripete :

VOCE TINA. – Luisa !… C'è Guido…

Et il se retourne vers le hall, où, entre-temps, le téléphone a sonné.
Le portier, depuis son comptoir, après avoir répondu, fait signe à Guido, en lui indiquant la cabine.

LE PORTIER. – Allô, Rome ! Dottore…

Guido, au lieu d'aller dans la cabine, s'approche du comptoir et prend le combiné des mains du portier.

GUIDO. – Oui, allô !…

La voix professionnelle de la demoiselle du standard téléphonique se fait entendre :

VOIX DE LA STANDARDISTE. – Rome… En ligne… Parlez donc…

Presque aussitôt, dans le téléphone résonnent des voix confuses et animées, tandis que Guido reprend :

GUIDO. – Allô ! Luisa ?…

On entend une voix d'homme dans le récepteur qui dit à haute voix, presque en plaisantant :

VOIX D'ANDREA. – Le voilà, Luisa !…

Puis s'intercale aussitôt une voix de femme qui répète :

VOIX DE TINA. – Luisa !… C'est Guido…

E rivolta a Guido la voce dice, mentre nel sottofondo si sentono voci animate e risa :

VOCE TINA. – Di dove salta fuori, a quest'ora, vagabondo ? Bella cura, eh ?...

Infastidito, e assecondando con sforzo questo tono di scherzo generale, Guido saluta, riconoscendo le voci.

GUIDO. – Ciao, Tina... Ciao... Mi passate Luisa ?
VOCE TINA. – Sì, eccola.

Poi subito la voce di Luisa un po' roca, più seria malgrado il tono scherzoso di quelli che la circondano, chiede :

VOCE LUISA. – Guido ? Ti ho telefonato due volte. Dov'eri ?
GUIDO. – Lo so. Mi spiace. Ero in camera di Carini... Ho lavorato fino adesso. Come stai ?
VOCE LUISA. – E tu ?... Ti fa bene la cura ? Senti che ti fa bene ?
GUIDO. – Credo di sì... ma mi tocca lavorare anche qua... E tu, cosa fai ? Ti diverti ?

Il tono di Luisa assume una sfumatura di sottinteso.

Et, s'adressant à Guido, sur un fond de voix animées et de rires, Tina dit :

VOIX DE TINA. – D'où sors-tu, à cette heure-ci, espèce de vagabond ? Tu parles d'une cure, hein ?...

Agacé et s'efforçant de se mettre au diapason de ce ton de plaisanterie générale, Guido salue, en reconnaissant les voix.

GUIDO. – Ciao, Tina... Ciao... Passez-moi Luisa.
VOIX DE TINA. – Oui, la voilà.

Puis, tout de suite, la voix de Luisa, un peu rauque et plus sérieuse, malgré le ton de plaisanterie de tous ceux qui l'entourent, demande :

VOIX DE LUISA. – Guido ? Je t'ai appelé deux fois. Où étais-tu ?
GUIDO. – Je le sais. Je suis désolé. J'étais dans la chambre de Carini... J'ai travaillé jusqu'à maintenant. Comment vas-tu ?
VOIX DE LUISA. – Et toi ?... La cure te fait du bien ? Est-ce que tu sens qu'elle te fait du bien ?
GUIDO. – Je crois que oui... mais je suis obligé de travailler ici aussi... Et toi, qu'est-ce que tu fais ? Tu t'amuses ?

Le ton de Luisa prend une nuance de sous-entendu.

VOCE LUISA. – Il solito. C'è qui Tina, Michela, Enrico. Siamo stati da Kita a cena…

Il dialogo diventa sempre più faticoso :

GUIDO. – Ah sì !… Kita… E adesso, cosa fai ? Vai a letto ?
VOCE LUISA. – Vado a letto… Stavano andandosene quando hai chiamato. Ma tu, ti diverti, lì ?… Hai trovato qualcuno ?
GUIDO. – È una noia !… Terribile… Cosa vuoi che ci sia da fare ? È un posto di cura…

La voce di Luisa sta diventando quasi aggressiva per l'incredulità.

VOCE LUISA. – Ma non hai trovato nessuno di conoscenza ? Stai sempre solo ?…
GUIDO. – Quasi…

Poi subito, come per dimostrare la sua buona fede, e un po' anche per un sincero slancio verso la moglie lontana, aggiunge.

GUIDO. – … Perché non vieni a trovarmi ?… Fai un salto qui… No ?…

Ma all'improvviso la comunicazione è interrotta dalla voce di una donna che torna ad inserirsi scherzosamente :

VOIX DE LUISA. – Comme d'habitude. Il y a Tina, Michela, Enrico. Nous sommes allés dîner chez Kita...

Le dialogue devient de plus en plus pénible :

GUIDO. – Ah oui !... Kita... Et maintenant, qu'est-ce que tu vas faire ? Tu vas te coucher ?
VOIX DE LUISA. – Je vais me coucher... Ils allaient partir quand tu as appelé. Mais toi, tu t'amuses là-bas ?... Tu as trouvé des gens ?
GUIDO. – C'est d'un ennui !... Terrible... Il n'y a vraiment rien à faire. C'est un lieu de cure...

La voix de Luisa devient presque agressive d'incrédulité.

VOIX DE LUISA. – Mais tu n'as trouvé personne que tu connaisse ? Tu es toujours seul ?...
GUIDO. – Pratiquement...

Puis, tout de suite, comme pour démontrer sa bonne foi, mais en raison aussi d'un sincère élan envers sa femme lointaine, il ajoute :

GUIDO. – ...Pourquoi tu ne viens pas me rejoindre ?... Fais un saut ici quelques jours... Qu'en penses-tu ?...

Mais brusquement la communication est interrompue par la voix d'une femme qui recommence à s'interposer en plaisantant :

VOCE TINA. – Allora, quando lo cominci questo film ?…

Un po' infastidito, Guido ribatte :

GUIDO. – Ma che ne so !… Dai, ripassami Luisa…

Subito si sente la voce di Luisa, che riprende, con malcelata ansia il discorso interrotto.

VOCE LUISA. – Allora, devo venire. Vuoi che venga ?

Guido, già un po' pentito, risponde con convinzione eccessiva :

GUIDO. – Ma sì, certo… Come vuoi… Vieni… Se ti fa piacere.

È di nuovo interrotto dalla centralinista.

VOCE LUISA. – Se ti fa piacere, a te…
VOCE CENTRALINISTA. – Raddoppia signore ?…
GUIDO. – No, no… Buona notte, Luisa… Ciao… Vieni…

VOIX DE TINA. – Alors, quand vas-tu commencer ce film ?…

Sur un ton d'agacement, Guido réplique :

GUIDO. – Mais qu'est-ce que j'en sais ! Allez, repasse-moi Luisa…

On entend aussitôt la voix de Luisa qui reprend la conversation interrompue avec une anxiété mal dissimulée.

VOIX DE LUISA. – Alors, je dois venir. Tu veux que je vienne ?

Guido, regrettant déjà un peu, répond sans conviction excessive :

GUIDO. – Mais oui, bien sûr… Comme tu veux… Viens… Si ça te fait plaisir.

Il est de nouveau interrompu par la standardiste.

VOIX DE LUISA. – Si ça te fait plaisir, à toi…
VOIX DE LA STANDARDISTE. – Vous doublez, Monsieur ?…
GUIDO. – Non, non… Bonne nuit, Luisa… Ciao… Viens…

Nel microfono risuonano confuse, con la voce di Luisa, le voci degli altri che lo salutano.

VOCE LUISA. – Quando, devo venire? Va bene, ciao…
VOCI. – Ciao, buffone… Curati… Ciao…

La comunicazione viene troncata. Guido rimane qualche istante pensieroso, riattaccando il microfono ; poi si avvia adagio su per le scale.

PORTIERE. – Buona notte, signore.
GUIDO. – Buonanotte.

Albergo. Stanzone produzione. Interno. Notte.

216-221

Guido, prima di dirigersi verso la sua camera, si affaccia nella grande stanza dove si è installata la produzione del film.
Alle pareti, infinite fotografie di attori, attrici, località, grandi lavagne ; un lungo piano di produzione ancora intatto.

Dans le récepteur résonnent confusément, en même temps que la voix de Luisa, les voix des autres qui le saluent.

VOIX DE LUISA. – Quand dois-je venir ? D'accord, ciao…
AUTRES VOIX. – Ciao, espèce de pitre… Soigne-toi… Ciao…

La communication est coupée. Guido reste quelques instants pensif, en raccrochant le combiné ; puis il se dirige lentement vers l'escalier et il monte.

LE PORTIER. – Bonne nuit, Monsieur.
GUIDO. – Bonne nuit.

Hôtel. Grande salle de la production.
Intérieur. Nuit.

216-221

Avant de se diriger vers sa chambre, Guido jette un coup d'œil dans la grande salle où est installée la production du film.
Aux murs il y a un nombre infini de photos d'acteurs, d'actrices, de lieux, quelques tableaux noirs, ainsi qu'un grand plan de production encore intact.

Su cavalletti, modellini di costruzioni e poi oggetti disparatissimi, copioni, cartelle, alcuni costumi, rotoli di disegni, ecc.
Seduto ad un tavolino, in un angolo, il cassiere, tutto solo, sta lavorando serio e attento, sotto una lampadina, l'unica accesa in tutta l'enorme stanza.
Indirizza a Guido un cenno di intesa, e continua il suo lavoro.
Guido si aggira un poco fra i modellini, i tavoli, le cartelle, si sofferma più a lungo a guardare le fotografie sui muri, poi, indirizzato un silenzioso cenno di saluto al ragioniere, esce.

Albergo. Camera letto Guido. Notte.

Guido apre la porta ed entra. Gli si fa intorno di colpo un profondo silenzio e irreale. La ragazza bruna che già gli è apparsa altre volte sta rassettandogli il letto. Ha gli abiti di una cameriera ; e si volta a sorridergli, come in attesa.
Guido la fissa senza parlare per qualche istante, sorridendo a sua volta ; poi, quasi con sforzo, come per evitare che la ragazza compaia di nuovo, chiede con voce atona :

Sur des tréteaux sont disposés des maquettes de constructions, puis des objets très disparates, des scénarios, des dossiers, quelques costumes, des rouleaux de dessins, etc.
Assis à une petite table, dans un coin, le caissier, seul, sérieux et appliqué, est en train de travailler sous une lampe, la seule qui soit allumée dans l'immense pièce. Il adresse à Guido un signe de connivence et reprend son travail.
Guido erre un peu au milieu des maquettes, des tables, des dossiers, s'arrête plus longuement pour regarder les photos sur les murs, puis il sort, en adressant un signe silencieux de salutation au comptable.

Hôtel. Chambre de Guido. Intérieur. Nuit.

Guido ouvre la porte et entre. Soudain, un silence profond et irréel se fait autour de lui. La jeune fille brune qui lui était déjà apparue d'autres fois est en train de remettre son lit en ordre. Elle porte des vêtements de femme de chambre ; elle se retourne en lui souriant, comme en attente.
Guido la fixe sans parler pendant quelques instants, souriant à son tour ; puis, avec un léger effort, comme pour éviter que la fille ne disparaisse à nouveau, il demande d'une voix atone :

GUIDO. – Come ti chiami ?...
CLAUDIA. – Claudia...

Guido si muove adagio verso di lei e le prende una mano, che essa gli abbandona sorridendo, ma ora con una sfumatura di turbamento. Guido ripete :

GUIDO. – Claudia...

DISSOLVENZA INCROCIATA

Guido e Claudia sono in letto, uno accanto all'altro.

Nel silenzio irreale che seguita a circondarli, le loro voci risuonano un po' astratte.

CLAUDIA. – Vuoi che resti qui, e tu vieni a trovarmi ogni tanto di nascosto ? Non m'importa. Vuoi tornare l'anno prossimo, e ricominciare ? Io t'aspetto. O vuoi non vedermi più. Anche questo è possibile, se preferisci... Vuoi che venga via con te ? Non ti devo diventare un fastidio, questo è tutto...
GUIDO. – Tu verresti via con me ?
CLAUDIA. – Oggi stesso, se vuoi. Non ho nemmeno bisogno di tornare a casa...

GUIDO. – Comment t'appelles-tu ?
CLAUDIA. – Claudia.

Guido avance lentement vers elle et lui prend une main, qu'elle lui abandonne en souriant, maintenant légèrement troublée. Guido répète :

GUIDO. – Claudia…

FONDU ENCHAÎNÉ

Guido et Claudia sont dans le lit, l'un près de l'autre.

Dans le silence irréel qui continue à les entourer, leurs deux voix résonnent un peu abstraitement.

CLAUDIA. – Tu veux que je reste ici, et tu viendras me voir de temps en temps en cachette ? Pour moi, ça n'a pas d'importance. Tu veux revenir l'an prochain, et recommencer ? Moi, je t'attends. Ou alors, tu ne veux plus me voir. Ça aussi, c'est possible, si tu préfères… Tu veux que je parte avec toi ? Je ne dois pas devenir un fardeau pour toi, c'est tout…
GUIDO. – Tu partirais avec moi ?
CLAUDIA. – Aujourd'hui même, si tu veux. Je n'ai même pas besoin de rentrer chez moi…

GUIDO. – Andarcene via e ricominciare… E non ti spaventa ? Sai che non potrò sposarti. Sai che razza di vita sarà la nostra ?…
CLAUDIA. – Sarebbe peggio divisi…
GUIDO. – Guardami bene in faccia : in una parola sola ti dico che cosa sono : un vigliacco…
CLAUDIA. – Non ci credo. E anche se fosse…

Claudia bacia furiosamente Guido, che le ricambia il bacio con impeto.

DISSOLVENZA

Camera letto Carla. In albergo. Interno. Giorno.

231-240

La camera è immersa in una fitta penombra rotta soltanto dal filtrare della luce del giorno attraverso le imposte chiuse. Guido è seduto accanto al letto, in cui giace Carla, che respira pesantemente, dormendo, seminuda e madida di sudore. Dopo qualche istante, Carla apre gli occhi quasi di colpo, fissandoli su Guido. Nella semioscurità quei piccoli occhi fermi sembrano luccicare misteriosamente. Guido li guarda in silenzio, un po' sgomento ; poi chiede a mezza voce, in tono che non vuole essere preoccupante :

GUIDO. – Partir et recommencer... Et tu n'as pas peur ? Tu sais que je ne pourrai pas t'épouser. Tu sais quelle sera notre vie ?...
CLAUDIA. – Séparés, ce serait pire...
GUIDO. – Regarde-moi bien : en un seul mot, je te dis ce que je suis : un lâche...
CLAUDIA. – Je n'y crois pas. Et même si c'était vrai...

Claudia embrasse furieusement Guido, qui l'embrasse à son tour avec fougue.

FONDU

Chambre lit Carla. Dans l'hôtel. Intérieur. Jour.

231-240

La chambre est plongée dans une épaisse pénombre qui n'est interrompue que par les rayons de la lumière du jour à travers les volets fermés. Guido est assis près du lit dans lequel dort Carla, qui respire lourdement, à moitié nue et en sueur. Quelques instants après, Carla ouvre les yeux presque tout d'un coup, les fixant sur Guido. Dans la demi-obscurité, ces petits yeux fixés semblent briller mystérieusement. Guido les regarde en silence, un peu effrayé ; puis il demande tout bas, sur un ton qui veut ne pas être préoccupant :

GUIDO. – T'è venuta un'altra volta una febbre così forte?

Carla si passa e ripassa la mano sulla fronte sudata. Risponde con voce lievemente alterata :

CARLA. – Subito, mi viene. Basta niente, sale subito a 39, 40. Poi passa. Mio marito lo sa, mi conosce, non si spaventa mica...

Si solleva sul gomito, ansimando come un potente animale, bianca nella penombra.

CARLA. – ... Ho caldo, una sete...

Guido le porge un bicchiere di acqua che sta sul comodino, e che Carla beve d'un fiato, sempre guardandola come se la vedesse per la prima volta, con un misto di sgomento e di distacco.
Quando ha finito, Carla si guarda attorno ; dice con un mezzo sorriso, un po' alterata :

CARLA. – Ci credi che non mi ricordo se è giorno o se è notte?

Guido è sorpreso e allarmato.

GUIDO. – Come?... Ma sono le quattro. Del pomeriggio, si capisce. Avrai dormito dieci minuti... Adesso sentiamo il dottore, poi, pensavo che sarebbe

GUIDO. – Tu as déjà eu une fièvre aussi forte ?

Carla passe et repasse sa main sur son front trempé. Elle répond d'une voix légèrement altérée :

CARLA. – Elle vient d'un seul coup. Il suffit d'un rien, elle monte tout de suite à 39, 40. Après ça passe. Mon mari le sait, il me connaît, cela ne lui fait pas du tout peur…

Elle s'appuie sur un coude, haletant comme un animal puissant, blanche dans la pénombre.

CARLA. – … J'ai chaud, et j'ai une de ces soifs…

Guido lui tend un verre d'eau qui se trouve sur la table de chevet et que Carla boit d'un trait, il la regarde toujours comme s'il la voyait pour la première fois, avec un mélange de consternation et de détachement. Quand elle a fini, Carla regarde autour d'elle ; elle dit avec un demi-sourire, un peu troublée :

CARLA. – Tu me crois si je te dis que je ne me souviens pas si c'est le jour ou la nuit ?

Guido est surpris et inquiet.

GUIDO. – Comment ça ?… Mais il est quatre heures. De l'après-midi, évidemment. Tu as dû dormir une dizaine de minutes… On va voir ce que dit le doc-

meglio telegrafare a tuo marito. Non è niente, ma non possiamo prenderci la responsabilità di non avvertirlo…

Carla si sta toccando la fronte, prende la mano di Guido e prima se la porta alla fronte, poi al seno.

CARLA. – Senti come scotto… Come scotto ! È ancora aumentata sai. Avrò quaranta.

Si riadagia dicendo, in tono di scherzo :

CARLA. – … Pensa se io morissi !…
GUIDO. – Lo so bene che non è niente… Non è questo… Se io potessi stare sempre qui, pazienza, ma non posso, lo sai… Come faccio a lasciarti così sola… Ma come diavolo t'è venuto in testa di riempirti d'acqua anche tu !… Non ne avevi mica bisogno, non fa mica bene a tutti…
CARLA. – Che ne so !… Per un po' d'acqua… La bevono tutti…

Accarezza Guido, bonaria, quasi materna.

CARLA. – … Si, caro, forse è meglio fare un telegramma a… Così tu stai più tranquillo. Hai così paura ! Tu hai sempre paura di essere responsabile… Che sei fresco tu ! Dammi un po' di ghiaccio…

teur, mais je pense qu'il vaudrait mieux télégraphier à ton mari. Ce n'est rien, mais nous ne pouvons pas prendre la responsabilité de ne pas l'avertir…

Carla se touche le front, elle prend une main de Guido, la porte d'abord à son front, puis sur son sein.

CARLA. – Sens comme je brûle… Comme je brûle ! La fièvre a encore augmenté. Je dois avoir 40.

Elle se rallonge en disant, sur le ton de la plaisanterie :

CARLA. – … Et si je mourais !…
GUIDO. – Je sais bien que ce n'est rien… Ce n'est pas ça… Si je pouvais rester toujours là, soit, mais je ne peux pas, tu le sais… Je ne peux pas te laisser toute seule dans cet état… Mais comment tu as eu l'idée de te gaver d'eau toi aussi !… Tu n'en avais pas besoin, ça ne fait pas du bien à tout le monde…
CARLA. – Je n'en sais rien !… Juste un peu d'eau… Tout le monde en boit…

Elle caresse Guido gentiment, presque maternelle.

CARLA. – … Oui, mon chéri, il vaut peut-être mieux envoyer un télégramme à… Comme ça tu seras plus tranquille. Tu as si peur ! Tu as toujours peur d'être responsable… Comme tu es frais, toi ! Donne-moi quelques glaçons…

Guido è rimasto a guardarla un momento, colpito dal tono e dalle parole, inattesamente e forse involontariamente acute di lei ; poi le porge una tazza piena di blocchetti di ghiaccio.
Carla ne prende uno, se lo passa sul viso, poi lo succhia, basta.

CARLA. – Ne vuoi anche tu, tesoro ? È buono…

Guido guarda furtivamente l'orologio, dice scherzando :

GUIDO. – Tu muori, ma se si tratta di mandar giù qualcosa !…

Carla ride, continuando a succhiare il ghiaccio, poi dice, pacifica nel tono, benché sempre un po' alterata :

CARLA. – Sono già due anni, che ho fatto testamento. Sul serio, sai… Tanto, a far testamento, non si muore mica prima… No, perché siccome ho anche un fratello e una sorella, se muoio voglio che l'appartamento resti a mio marito. L'appartamento è mio. Voglio che continui a starci lui, se no, come fa, poverino ?… Anche se si risposa con un'altra, quando io sono morta, vero ?…

Guido est resté à la regarder un moment, frappé par ce ton et ces mots peut-être involontairement acérés, inattendus pour lui ; puis il lui tend un bol plein de glaçons.
Carla en prend un, elle le passe sur son visage, puis le suce ; un seul, c'est assez.

CARLA. – Tu en veux un, toi aussi, mon chéri ? C'est bon…

Guido regarde furtivement sa montre, il dit en plaisantant :

GUIDO. – Tu meurs, mais dès qu'il s'agit d'avaler quelque chose !…

Carla rit, tout en continuant à sucer le glaçon, puis elle dit, sur un ton tranquille, bien qu'elle soit toujours un peu troublée :

CARLA. – Ça fait déjà deux ans que j'ai fait mon testament. C'est vrai, tu sais… Après tout, quand on fait son testament, on ne meurt pas avant… Parce que, comme j'ai un frère et une sœur, si je meurs, je veux que mon appartement reste à mon mari. L'appartement est à moi. Je veux qu'il continue à y rester, lui ; sinon, comment va-t-il faire, le pauvre ?… Et même s'il se remarie avec quelqu'un d'autre, quand je serai morte, n'est-ce pas ?…

Butta da una parte il lenzuolo girandosi pesantemente, mezza nuda, bianchissima. Il suo discorso continua, con una più sensibile sfumatura di alterazione febbrile.

CARLA. – … Non posso nemmeno sopportare il lenzuolo… Anche da bambina mi venivano certi febbroni ! La febbre alta, il delirio… Delirio, insomma, dico delle strampalate… Avevo una vergogna del dottore ! Per strada camminavo tutta curva, mi vergognavo dei maschi… Credevo di avere il seno troppo grosso, mi mettevo nuda allo specchio a guardarmi, uno specchio a tre luci, quello della mamma… A tredici anni ero già formata quasi come adesso, grande così…

Interrompe bruscamente il discorso, chiudendo gli occhi e piombando di nuovo in un sonno che sembra profondo. Guido pieno di disagio, guarda di nuovo l'orologio, perplesso sul da farsi, pieno di un evidente desiderio di andarsene. Ma è attratto da un gemito sommesso che viene da Carla ; chiama sottovoce, avvicinandosi e chinandosi su di lei :

GUIDO. – Carla…

Vede che, con gli occhi chiusi, Carla sta piangendo. Intenerito, perplesso, Guido chiede affettuosamente :

GUIDO. – Che c'è ?… Che hai ?…

Elle rejette le drap d'un côté en se retournant lourdement, à moitié nue, très blanche. Elle continue son discours, avec une nuance accentuée de trouble fébrile.

CARLA. – … Je n'arrive même pas à supporter le drap… Même quand j'étais petite, il me venait de ces fièvres !… La température très élevée, je délirais… Un délire, oui quoi, je dis des choses extravagantes… J'avais une de ces hontes devant le docteur ! Dans la rue, je marchais toute courbée, j'avais honte devant les garçons… Je croyais que j'avais une poitrine trop grosse, je me mettais toute nue devant le miroir, un miroir à trois volets, celui de maman… A treize ans j'étais déjà formée, presque comme maintenant, aussi grande…

Elle arrête brusquement son discours, ferme les yeux et retombe dans un sommeil qui semble profond. Guido, très ennuyé, regarde à nouveau sa montre, perplexe quant à ce qu'il faut faire, avec un désir évident de partir. Mais son attention est attirée par un gémissement sourd venant de Carla ; il l'appelle à voix basse, s'approche et se penche au-dessus d'elle :

GUIDO. – Carla…

Il s'aperçoit que, les yeux fermés, Carla pleure. Attendri, perplexe, Guido demande affectueusement :

GUIDO. – Qu'y a-t-il ?… Qu'est-ce que tu as ?…

Sempre senza aprire gli occhi Carla risponde col tono di una bambina piangente :

CARLA. – Non voglio che sia finito già... Se telegrafiamo a mio marito, poi mi porta via con sé... Mi ero portata tutti i miei bei vestitini...

Guido ha un sorriso di divertita tenerezza. Le accarezza adagio il capo ma Carla si è di nuovo addormentata di colpo, e questa volta profondamente. Guido si siede poco discosto, adagio, ascolta il grave respiro ; ma, un po' per volta quel grande, morbido, abbandonato corpo bianco di donna, che risalta quasi nudo nella penombra, lo affascina, occhi e mente.

Cortile del collegio. Esterno. Giorno.

241-250

L'ora della ricreazione in uno squallido cortile di collegio. Sullo spiazzo di terra polverosa, chiuso verso la strada da una rete metallica, una quarantina di ragazzini in uniforme corrono, saltellano, si spingono, o sostano lungo il muro nudo dell'edificio, tra uno schiamazzare disordinato. I più giocano a pallone ; qualcuno si dondola su una vecchia altalena cigolante, altri fanno gruppo, annoiati, intorno al

Toujours sans ouvrir les yeux, Carla répond avec le ton d'une petite fille qui pleure :

CARLA. – Je ne veux pas que ce soit déjà fini... Si nous télégraphons à mon mari, il m'emmènera avec lui... Moi, j'avais pris toutes ces belles robes...

Guido a un sourire amusé de tendresse. Il lui caresse doucement la tête, mais Carla s'est de nouveau endormie tout d'un coup, et cette fois profondément. Guido s'assoit un peu à l'écart, doucement, pour écouter sa lourde respiration ; mais, peu à peu, ce grand corps blanc de femme, doux et abandonné, qui se distingue presque nu dans la pénombre, fascine aussi bien ses yeux que son esprit.

Cour du collège. Extérieur. Jour.

241-250

L'heure de la récréation dans une triste cour de collège. Dans la cour poussiéreuse, clôturée du côté de la route par un grillage, environ quarante garçons en uniforme courent ; ils sautent, ils se poussent, ou s'arrêtent le long du mur nu de l'édifice, dans un vacarme désordonné. La plupart jouent au ballon ; l'un d'entre eux se balance sur une vieille balançoire grinçante, d'autres se tiennent par groupes, ennuyés,

« prefetto », incaricato alla sorveglianza, un giovanottello con i capelli lunghi, sporchicchio, famelico. Appesi alla rete metallica, dalla parte della strada, stanno diversi monelli che, non potendo partecipare al gioco, gridano insulti o incoraggiamenti ai collegiali.
Un ragazzino in uniforme, in cui evidentemente Guido identifica e riconosce sé stesso adolescente, è intento a raccogliere le frasi che vengono scambiate da alcuni suoi compagni più grandi con due o tre monelli della stessa età, oltre la rete. Una espressione di morbosa, turbata attrazione sta sul suo volto; come se il ragazzo, prima ancora di aver capito di che si tratta, già avesse intuito la peccaminosità dell'argomento e ne fosse affascinato.
Sosta a qualche passo di distanza da quegli altri, poi si avvicina adagio.

I RAGAZZI. – Ce ne vogliono sei... Sei a testa. – Tu l'hai già vista? – Tante volte! – Com'è? – Io ne ho quattro. – Se vendi tre bottoni, sei soldi, te li danno.

Guido guarda i bottoni dorati della propria divisa, si getta un'occhiata istintiva alle spalle, come temendo l'arrivo di un superiore, poi si avvicina ancor di più.

autour du « préfet », chargé de la surveillance, un petit jeune homme aux cheveux longs assez sales, famélique. Appuyés au grillage métallique, du côté de la rue, se trouvent quelques voyous qui, ne pouvant prendre part au jeu, crient des insultes ou des encouragements à l'adresse des collégiens.
Un garçon en uniforme, avec lequel évidemment Guido s'identifie et en qui il se reconnaît adolescent, essaie de saisir les phrases qu'échangent quelques-uns de ses camarades plus âgés avec deux ou trois voyous du même âge qui se trouvent au-delà du grillage. Une expression d'attirance, maladive et troublée, est peinte sur son visage ; comme si l'adolescent, avant même d'avoir compris de quoi il était question, avait déjà senti l'atmosphère de péché du dialogue et qu'il en était fasciné.
Il s'arrête à quelques pas de distance des autres, puis il s'approche lentement.

LES GARÇONS. – Il en faut six… Six chacun. – Tu l'as déjà vue ? – Tant de fois ! – Elle est comment ? – Moi, j'en ai quatre. – Si tu vends trois boutons, on t'en donnera bien six sous.

Guido regarde les boutons dorés de son uniforme, il jette un coup d'œil instinctivement derrière lui, comme s'il craignait l'arrivée d'un supérieur, puis il s'approche encore plus.

I RAGAZZI. – Perché si chiama la Saraghina? – Io so dove sta. – Basta avere i soldi, se no, niente. – Da vicino?

Sentiero e spiaggia. Esterno. Giorno.

251-266

Sei o sette ragazzini, di cui alcuni con la divisa del collegio, corrono disordinatamente su un sentiero che porta alla spiaggia.
Guido è in coda, si volta sovente indietro, con apprensione e turbamento insieme. Si ferma, e per qualche istante sembra indeciso se proseguire o tornare in collegio.
Gli altri continuano a correre sempre, senza pensare a lui. Finalmente Guido, come dandosi tutto al desiderio proibito, si butta a correre a rotta di collo raggiunge gli altri li sorpassa, li precede. I monelli, che già conoscono la strada, guidano gli altri. Si sentono le loro voci, già sul rumore del mare vicino, che gridano.

MONELLI. – Di qua! – È là! – Là, in fondo!

In fondo alla spiaggia, isolato, c'è un vecchio fortino in cemento, una specie di rudere senza senso, quasi una tana.

LES GARÇONS. – Pourquoi elle s'appelle la Saraghina ? – Moi, je sais où elle habite. – Il suffit d'avoir l'argent, sinon, rien. – De près ?

Sentier et plage. Extérieur. Jour.

251-266

Six ou sept garçons, dont certains en uniforme du collège, courent en désordre sur un sentier qui conduit à la plage.
Guido est en queue, il se retourne souvent pour regarder derrière lui avec appréhension et trouble tout à la fois. Il s'arrête, et il semble quelques instants ne pas réussir à se décider à poursuivre ou à revenir au collège.
Les autres continuent toujours à courir, sans s'occuper de lui. Enfin, Guido, comme s'il se livrait entièrement au désir défendu, prend ses jambes à son cou, rejoint les autres à toute vitesse, et passe en tête. Les voyous qui connaissent déjà le chemin guident les autres. On entend leurs voix qui crient et qui se mêlent déjà au bruit de la mer toute proche.

LES VOYOUS. – Par là ! – Elle est là ! – Là, au fond !

Au fond de la plage, isolé, il y a un vieux fortin en ciment, une sorte de ruine insensée, presque une tanière.

Un fumo denso e certo puzzolente si leva da un rozzo focolare di pietre, vicino all'ingresso di quell'abituro ; una pentola nera sta sul fuoco di sterpi che vi arde.
I ragazzi ora si sono fermati, stringendosi gli uni accanto agli altri, come per un istintivo timore.
Sono eccitati e insieme turbati, impauriti. Stanno a rispettosa distanza dal fortino, e qualcuno comincia a gridare :

RAGAZZI. – Saraghina ! ?... Saraghina !...

Poiché nessuno appare né risponde, due o tre ragazzini fanno l'atto di avvicinarsi, gli altri subito li trattengono.

RAGAZZI. – È cattiva !... – Dà le botte !... – Aspetta, forse non c'è... – Sì, che c'è ; non vedi il fuoco ?

E ricominciano a gridare, avvicinandosi molto cautamente.

RAGAZZI. – ... Saraghina ! ? ... – Saraghina !... – Abbiamo i soldi, Saraghina !...

Una creatura pesante, maestosa, nella sua straccionesca goffaggine, appare sulla soglia della tana : è una donna sui 40 anni, vestita come una mendicante,

Une fumée dense et certainement malodorante s'élève d'un foyer grossièrement fait avec des pierres, près de l'entrée de ce taudis ; une casserole noire se trouve sur le feu de broussailles qui y brûle.
Les garçons se sont maintenant arrêtés, et ils se serrent les uns contre les autres, comme par une crainte instinctive.
Ils sont excités en même temps que troublés, effrayés.
Ils se tiennent à une distance respectueuse du fortin, et l'un d'eux commence à crier :

LES GARÇONS. – Saraghina ! ?… Saraghina !…

Comme personne n'apparaît ni ne répond, deux ou trois d'entre eux commencent à s'approcher, les autres les retiennent aussitôt.

LES GARÇONS. – Elle est méchante !… – Elle donne des coups !… – Attends, elle n'y est peut-être pas !… – Si, elle est là, tu ne vois pas le feu !

Et ils recommencent à crier, en s'approchant avec beaucoup de précautions.

LES GARÇONS. – … Saraghina ! ?… – Saraghina !… – On a l'argent, Saraghina !…

Une créature lourde, majestueuse, empêtrée dans ses haillons, apparaît sur le seuil de sa tanière : c'est une femme d'une quarantaine d'années, habillée comme

spettinata, le cui forme animalescamente ricche e non del tutto sfasciate conservano il resto di una antica bellezza. È minacciosa, aggressiva, violenta. Abituata al dileggio più crudele, investe i ragazzini con una bordata di ingiurie.

SARAGHINA. – Via !... Andate via, bastardi !... Figli di una vacca !... Delinquenti !... Via !...

Il gruppo ondeggia un poco ; i più audaci riprendono a gridare :

RAGAZZI. – Abbiamo i soldi !... – Eccoli, Saraghina !... – Abbiamo i soldi !...

Qualcuno agita in aria la mano mostrando da lontano un gruzzolo di monetine.
La donna ha aguzzato lo sguardo ; borbotta qualcosa ; poi grida, ancora aggressiva :

SARAGHINA. – Portali qui.

Un ragazzo dà uno spintone al compagno che ha i denari, ma questi si ritrae indietro. Nessuno ha il coraggio di farsi avanti.

RAGAZZI. – E va !... – Vacci tu... – Gettali. Buttaglieli. – No !... Si perdono nella sabbia !...

une mendiante, décoiffée, dont les formes bestialement riches et pas complètement défaites conservent les restes d'une ancienne beauté. Elle est menaçante, agressive, violente. Habituée à la dérision la plus cruelle, elle attaque les enfants par une bordée d'injures.

SARAGHINA. – Allez-vous-en !… Allez-vous-en d'ici, espèces de bâtards !… Fils de vaches !… Voyous !… Allez-vous-en !…

Le groupe a un léger repli d'indécision ; les plus audacieux recommencent à crier :

LES GARÇONS. – On a l'argent !… – Le voilà, Saraghina !… – On a l'argent !…

Quelqu'un agite une main en l'air en montrant de loin un tas de petites pièces.
La femme a aiguisé son regard ; elle marmonne quelque chose ; puis elle crie, encore agressive :

SARAGHINA. – Apporte-le ici.

Un garçon pousse brusquement celui de ses camarades qui a l'argent, mais ce dernier recule. Personne n'a le courage de s'avancer.

LES GARÇONS. – Mais vas-y !… – Vas-y toi !… – Jette-le. Lance-le-lui. – Non !… Il va se perdre dans le sable !…

I collegiali sono sulle spine ; uno di essi interviene :

UN COLLEGIALE. – Fate presto !...

Finalmente un ragazzo, con i denari in pugno, si avanza verso il fortino, dicendo a voce alta :

RAGAZZO. – Siamo otto. Sei soldi a testa...

Depone il denaro su una pietra poco lontano dalla donna, senza avere il coraggio di andarle più vicino, e subito arretra di qualche passo, mentre gli altri alla spicciolata lo raggiungono adagio, cauti, eccitati.
La donna raccoglie le monete, le conta lentamente, leva gli occhi sui monelli, li conta, torna a contare il denaro.
Tutti gli sguardi dei ragazzini sono fissi su di lei : sguardi affascinati, turbati, ansiosi. Uno grida con la voce un po' rauca :

RAGAZZO. – Dai, Saraghina !...

La Saraghina infila i denari in tasca, poi getta una occhiata intorno per accertarsi che non ci sia nessuno. C'è un silenzio teso, rotto solo dal rumore del mare, come nell'imminenza di uno spettacolo misterioso e rituale. Adagio, con una calma quasi solenne nella sua animalesca turpitudine, la donna

Les collégiens sont sur des charbons ardents ; l'un d'eux intervient :

UN COLLÉGIEN. – Vite !...

Enfin, un garçon, tenant les pièces dans la main, s'approche du fortin, en disant à haute voix :

UN GARÇON. – Nous sommes huit. Six sous chacun...

Il dépose l'argent sur une pierre pas trop loin de la femme, sans avoir le courage de s'approcher davantage d'elle, et recule aussitôt de quelques pas, alors que les autres, peu à peu, le rejoignent lentement, excités et prudents.
La femme ramasse les pièces, les compte lentement, puis elle lève les yeux sur les voyous, elle les compte aussi, recommence à compter l'argent.
Tous les regards des garçons sont fixés sur elle : des regards fascinés, troublés, anxieux. L'un d'eux crie d'une voix un peu rauque :

UN GARÇON. – Vas-y, Saraghina !...

Saraghina met l'argent dans sa poche, puis jette un coup d'œil autour d'elle pour s'assurer qu'il n'y a personne. Il y a un silence tendu, brisé uniquement par le bruit de la mer, comme dans l'imminence d'un spectacle mystérieux et rituel. Lentement, avec un calme presque solennel dans son ignominie animale,

volge la spalle ai ragazzi e solleva le sottane fino alla cintola.
I ragazzi guardano affascinati, turbati. Il viso di Guido esprime uno stupore profondo, pieno di echi confusi e terribili.
Con la stessa lentezza, ora la donna si gira su se stessa, il volto verso i ragazzi, e risolleva fino alla cintola la sottana che aveva abbassata.
Il fumo nerastro del focolare la investe e la circonda, dandole l'aspetto di un'apparizione mitica.
Ma all'improvviso un grido di allarme provoca lo sbandamento e la fuga disperata dei ragazzi.

UNA VOCE. – Il prefetto!...

Evidentemente qui i ricordi di Guido si spezzettano, concentrandosi sui soli fatti che gli sono rimasti impressi.
Un prete di mezza età, secco e magro, trascina Guido adolescente lungo il sentiero, tenendolo quasi sospeso per un orecchio. Il ragazzino sconvolto, sudato, con il viso bagnato di lacrime, si dibatte per il dolore, ma l'altro continua a trascinarlo così, implacabilmente...
Tanto il prete quanto il ragazzo pronunciano frasi spezzate, di ira e di sdegno minaccioso il primo, di dolore e di implorazione il secondo, ma le parole non si sentono.

la femme tourne le dos aux garçons et soulève ses jupes jusqu'à la ceinture.
Les garçons regardent fascinés, troublés. Le visage de Guido exprime une profonde stupeur, pleine d'échos terribles et confus.
Avec la même lenteur, la femme tourne maintenant sur elle-même, le visage vers les garçons, et resoulève jusqu'à la ceinture les jupes qu'elle avait baissées. La fumée noirâtre du foyer l'investit et l'enveloppe, en lui conférant l'aspect d'une apparition mythique. Mais soudain un cri d'alarme provoque la débandade et la fuite désespérée des garçons.

UNE VOIX. – Le préfet !…

Évidemment, c'est alors que les souvenirs de Guido se morcellent, en se concentrant uniquement sur les faits qui sont restés imprimés en lui.
Un prêtre d'âge moyen, maigre et sec, traîne Guido adolescent le long du sentier, en le tenant presque suspendu par une oreille. Le garçon, bouleversé, en nage, le visage baigné de larmes, se débat sous le coup de la douleur, mais l'autre continue à le traîner ainsi, implacablement… Aussi bien le prêtre que l'enfant prononcent des fragments de phrases, le premier de rage et de mépris menaçant, le second de douleur et d'imploration, mais on n'entend pas leurs paroles.

Ripostiglio collegio. Interno. Giorno.

267-269

Nella penombra di un ripostiglio ingombro di attrezzi, balle di paglia, mobili rotti, Guido sta inginocchiato sul pavimento, che è stato cosparso di chicchi di granoturco.
Oltre la porta chiusa e i muri, si sentono i rumori della vita quotidiana del collegio : passi, vociare di ragazzi, il suono di una campanella...

Sala presidenza collegio. Interno. Giorno.

270-277

La porta si apre, e Guido, spinto avanti dal prefetto, entra nella sala del preside.
Questi è seduto al suo scrittoio. Ma la prima cosa che colpisce Guido è la presenza di una signora alta, vestita borghesemente che stava seduta di fronte al preside e che ora all'ingresso di Guido si alza. È sua madre.
Una espressione di sdegno addolorato le sta sul volto.
Guido si è fermato quasi subito, fissando la madre. Il prefetto lo sospinge in avanti, e la madre fa qualche passo verso di lui. Il ragazzo continua a fissarla con

Débarras collège. Intérieur. Jour.

267-269

Dans la pénombre d'un débarras encombré d'outils, de bottes de paille, de meubles cassés, Guido est à genoux sur le sol, qui est parsemé de grain de maïs.
Au-delà de la porte fermée et des murs, on entend les bruits de la vie quotidienne du collège : des pas, des voix d'enfants, le son d'une cloche…

Bureau du proviseur collège. Intérieur. Jour.

270-277

La porte s'ouvre, et Guido, poussé en avant par le préfet, entre dans la salle du proviseur.
Celui-ci est assis à son bureau. Mais la première chose qui frappe Guido est la présence d'une grande dame, habillée bourgeoisement, assise devant le proviseur, et qui maintenant, à l'entrée de Guido, se lève. C'est sa mère.
Une expression d'indignation douloureuse marque son visage.
Guido s'est arrêté presque tout de suite, en fixant sa mère. Le préfet le pousse en avant, et sa mère fait quelques pas vers lui. L'enfant continue à la fixer

paura e vergogna insieme. Probabilmente, nella realtà, tanto il preside quanto la madre avranno detto qualcosa, ma le frasi si sono cancellate nella memoria di Guido. Egli ricorda soltanto l'espressione del volto della madre, la propria spaurita vergogna e i due schiaffi che la madre gli ha dati.

Chiesa del collegio. Interno. Giorno.

278-287

Nella chiesa semibuia e silenziosa ora Guido sta inginocchiato in un banco, in attesa del suo turno per confessarsi.
In altri banchi, ciascuno isolato dai compagni, stanno i suoi complici. Guido non ricorda più bene i loro volti.
Ricorda il silenzio, la penombra, la luce tremolante davanti all'altare, e il bisbigliare alternato che giunge dal confessionale. Un prete sta inginocchiato dietro ai ragazzi e li sorveglia. Ora colui che stava in confessione ha terminato : tocca a Guido. Egli si alza : evidentemente è molto suggestionato o intimorito per ciò che deve raccontare.
Esita un momento prima di entrare nel confessionale ed inginocchiarsi.
Ricorda bene la tendina di legno cigolante che ripara il suo volto dall'esterno, la grata del confessionale

avec crainte et honte à la fois. Probablement, dans la réalité, aussi bien le proviseur que la mère ont dû dire quelque chose, mais les phrases se sont effacées de la mémoire de Guido. Il ne se rappelle que l'expression du visage de sa mère, sa propre honte effrayée et les deux gifles que sa mère lui a données.

Église du collège. Intérieur. Jour.

278-287

Dans l'église à moitié dans l'obscurité et silencieuse, Guido est maintenant à genoux sur un banc, attendant son tour pour se confesser.
Sur d'autres bancs, chacun isolé des autres, se trouvent tous ses complices. Guido ne se rappelle plus très bien leurs visages.
Il se rappelle le silence, la pénombre, la lumière tremblante devant l'autel et le chuchotement alterné qui parvient du confessionnal. Un prêtre est agenouillé derrière les garçons et les surveille. Celui qui se confessait a maintenant fini : c'est le tour de Guido. Il se lève : évidemment, il est préoccupé et très effrayé par ce qu'il doit raconter.
Il hésite un moment avant d'entrer dans le confessionnal et de s'agenouiller.
Il se rappelle bien le petit rideau de bois qui grince et qui abrite son visage de l'extérieur, la grille du

oltre la quale udiva il prete rivolgersi sommessamente a colui che stava nell'altro inginocchiatoio, l'attesa del proprio turno... Poi ecco, lo sportello di legno oltre la grata viene aperto dall'interno, il soffio caldo del confessore attraversa i buchi a forma di croce ; una voce sommessa chiede :

VOCE CONFESSORE. – Da quanto tempo ?...

Una lunga pausa poi di nuovo la voce del confessore.

VOCE CONFESSORE. – ... Non lo sai che la Saraghina è il diavolo ?

Ed ora la chiesa è illuminata, l'organo suona, il prete, all'altare celebra la messa.
I banchi sono pieni di collegiali inginocchiati.
Guido è molto raccolto e compreso. È l'ora della comunione.
I ragazzi si muovono dai banchi, con rumore di scarpe, e in fila si avviano verso la balaustra dell'altare, le mani giunte.
Guido si inginocchia sul marmo freddo degli scalini ; il mento gli arriva appena alla balaustra.
Segue con lo sguardo il prete che, comunicando i suoi compagni prima di lui, gli si avvicina mormorando

confessionnal au-delà de laquelle il entendait le prêtre s'adresser à voix basse à celui qui se trouvait sur l'autre prie-Dieu, l'attente de son tour... Puis, voilà, le volet de bois au-delà de la grille est ouvert de l'intérieur, le souffle chaud du confesseur traverse les trous en forme de croix ; une voix basse demande :

VOIX DU CONFESSEUR. – Depuis combien de temps ?...

Une longue pause, puis de nouveau la voix du confesseur.

VOIX DU CONFESSEUR. – ...Ne sais-tu pas que la Saraghina est le diable ?

A présent, l'église est éclairée, les orgues résonnent, le prêtre célèbre la messe sur l'autel.
Sur tous les bancs se tiennent des collégiens agenouillés.
Guido est très recueilli et pénétré. C'est l'heure de la communion.
Venant des bancs, les garçons avancent avec un bruit de chaussures, en file, vers la balustrade de l'autel, les mains jointes.
Guido s'agenouille sur le marbre froid des marches ; son menton arrive à peine à la hauteur de la balustrade.
Il suit du regard le prêtre qui, en donnant la communion à ses camarades avant lui, s'approche en mur-

ogni volta le parole liturgiche. Ora è la volta sua. Il prete gli sta davanti. Un chierichetto tende sotto il mento di Guido un piattello dorato.
Guido guarda il prete e il calice con occhi affascinati.

Sala da pranzo albergo. Interno. Giorno.

288-293

Ad un tavolo, nella vastissima sala da pranzo dell'albergo termale, sta seduto il cardinale con il suo giovane segretario. Guido che sta seduto ad un altro tavolo, piuttosto discosto, lo guarda quasi affascinato. Solo lo innervosisce la vicinanza di Carini, che mangia con voluta compostezza, crocchiando il pane, sorbendo il the, movendo la tazza.
È l'ora della prima colazione, e la grande stanza è semivuota. Il cardinale mangia in silenzio, composto, lento, misterioso, come isolato sotto una campana di vetro.

DISSOLVENZA

murant chaque fois les paroles liturgiques. C'est maintenant son tour. Le prêtre se trouve devant lui. Un enfant de chœur tend un petit plateau doré sous le menton de Guido.
Guido regarde le prêtre et le calice avec des yeux fascinés.

Salle à manger de l'hôtel. Intérieur. Jour.

288-293

A une table, dans la très grande salle à manger de l'hôtel des thermes, est assis le cardinal en compagnie de son jeune secrétaire. Guido, qui est assis à une autre table, plutôt à l'écart, le regarde fasciné. Il est pourtant énervé par la proximité de Carini qui mange avec un maintien étudié, en croquant son pain, buvant son thé, déplaçant sa tasse.
C'est l'heure du petit déjeuner, et la grande salle est à moitié vide. Le cardinal mange en silence, grave, lent, mystérieux, comme isolé sous une cloche de verre.

FONDU

Prato albergo. Esterno. Giorno.

294-300

Il cardinale, sta seduto ad un tavolino, in pieno sole, con la croce d'oro rilucente nel petto, la mozzetta rossa in capo, intento a scrivere.
Lentamente due bambini gli si accostano, come attratti da un favoloso angelo di Natale, che però potrebbe fare paura, se bruscamente, si muovesse.
Aprendo lievemente gli occhi e vedendo i bambini vicini, curiosi e timorosi, il cardinale sorride, un po' a fatica, anche se sinceramente e semplicemente.
Dà loro un piccolo segno con la lunga e bianchissima mano affusolata, dove rifulge l'anello.
Rassicurati, i bambini si avvicinano e si appoggiano al bracciolo della poltrona, alle ginocchia del cardinale, dondolandosi e occupandosi subito di altro.
Uno dei bambini, inevitabilmente, tocca con un dito la grande croce pettorale e incomincia a giocarci.
Sorridendo compiaciuto e evidentemente perché sa che così deve fare, il cardinale consente a questa intimità coi bambini.
Adesso anche altri bambini – quelli vestiti da cowboy – si sono avvicinati e formano un crocchio intorno al cardinale, seduti qua e là nell'erba.
Il più piccolo dei bambini si sta arrampicando sulle spalle del cardinale e non mostra il minimo imba-

Pelouse de l'hôtel. Extérieur. Jour.

294-300

Le cardinal est assis à une table, en plein soleil, avec sa croix d'or qui brille sur sa poitrine, avec son camail rouge, en train d'écrire.
Deux enfants s'approchent lentement de lui, comme attirés par un fabuleux ange de Noël, qui pourrait cependant faire peur si, brusquement, il se mettait à bouger.
En ouvrant lentement les yeux et voyant les enfants près de lui, curieux et craintifs, le cardinal sourit, un peu péniblement, bien qu'avec sincérité et simplicité. Il leur fait un petit signe avec sa longue main fuselée très blanche, où brille l'éclat de son anneau.
Rassurés, les enfants s'approchent et s'appuient au bras du fauteuil, aux genoux du cardinal, en se balançant et en s'occupant aussitôt d'autre chose.
L'un des enfants, inévitablement, touche avec un doigt la grande croix pectorale et commence à jouer avec celle-ci.
En souriant satisfait – il sait évidemment qu'il doit agir ainsi –, le cardinal consent à cette intimité avec les enfants.
A présent, d'autres enfants encore – ceux-là habillés en cow-boys – se sont approchés et forment un cercle autour du cardinal ; ils sont assis ici et là sur l'herbe. Le plus petit de ces enfants est en train de grimper sur le dos du cardinal et ne semble pas avoir le

razzo e il più piccolo rispetto. L'altro gioca francamente con la grande croce pettorale d'oro che peraltro pende sempre sul petto del cardinale, fissata dal cordone.
Seduto su una poltrona sdraio, suo rifugio abituale, al sole, gli occhi coperti dai soliti occhiali neri, i tappi di cera alle orecchie, vediamo Guido che ha osservato la scena. Sulle ginocchia ha un grosso volume, ancora chiuso.
Adesso Guido si toglie gli occhiali neri e li pulisce con la pezzuola, meccanicamente, ma continuando a guardare.
Visti da vicino, i suoi occhi hanno una fissità, quasi crudele, come se volessero decifrare e scoprire, da fenditure improvvise, e approfittandone quasi cinicamente, un favoloso personaggio che porta in cuore fin dalla lontana giovinezza.

Grotte fanghi termali. Interno. Giorno.

301-340

Uomini e donne d'ogni età scendono nell'interno delle enormi grotte termali, e ne escono a cura finita. Le grotte, tutte gigantesche stalattiti a volte ora basse, ora altissime, hanno un aspetto favoloso, in una luce artificiale, che le rende ancora più irreali.

moindre embarras ni le moindre respect. L'autre joue franchement avec la croix pectorale en or qui est toujours suspendue à la poitrine du cardinal, fixée par un cordon.
Nous voyons Guido observer la scène : il est assis sur une chaise longue, son refuge habituel, au soleil, avec les yeux couverts par ses lunettes noires habituelles, des boules de cire dans les oreilles. Sur ses genoux est posé un gros volume, encore fermé.
Il ôte maintenant ses lunettes noires et les nettoie avec un mouchoir, mécaniquement, mais tout en continuant à regarder.
Vus de près, ses yeux ont une fixité presque cruelle, comme s'ils voulaient découvrir et déchiffrer, par quelque fissure inattendue, de façon cynique, un personnage fabuleux qu'il porte dans son cœur depuis sa lointaine jeunesse.

Grottes boues thermales. Intérieur. Jour.

301-340

Des hommes et des femmes de tout âge descendent à l'intérieur d'immenses grottes thermales, puis en sortent lorsque leur cure est finie. Les grottes, faites de gigantesques stalactites aux voûtes tantôt basses, tantôt très hautes, ont un aspect fabuleux, dans une lumière artificielle qui les rend encore plus irréelles.

Le installazioni tecniche – cabine, campanelli, scalini, mancorrenti, parapetti, sedili – diminuiscono e spariscono quasi completamente quanto più si scende verso il basso, in un'atmosfera sempre più calda, umida, carica di vapori.
Bagnini e infermiere avviano le persone nelle diverse direzioni, imponendo a ciascuno un bianco accappatoio, che uniforma uomini e donne, resi simili ad ombre vaganti nei vapori caldi di un limbo sempre più inquietante.
Guido, coperto come gli altri da un lenzuolo bianco, scende verso le parti più interne delle grotte ; l'atmosfera è caldissima, la penombra sempre più fitta e rossastra, i suoni sempre più lontani e attutiti ; altre persone ammantate di bianco lo seguono e lo precedono, e gli vengono incontro sparendo poi subito nelle tortuosità umide della roccia.
Quasi all'improvviso, una vastissima caverna si apre davanti a Guido, come se lo stretto cunicolo vi terminasse. Forse la vastità e l'altezza sono minori di quanto pare, ma gli spessissimi vapori bianchi che la ricoprono ne nascondono i limiti e la fanno sembrare misteriosamente enorme.
Per qualche istante Guido ha l'impressione di essere rimasto completamente solo, poiché coloro che scendevano con lui sono spariti nella nebbia fitta ; poi, muovendosi adagio e guardando attorno, egli scopre

Les installations techniques – cabines, sonneries, escaliers, mains courantes, parapets, sièges – diminuent et disparaissent presque complètement au fur et à mesure qu'on descend en profondeur, dans une atmosphère de plus en plus chaude, humide, chargée de vapeurs.
Les maîtres-nageurs et les infirmières conduisent les curistes dans différentes directions, imposant à chacun un lourd peignoir blanc uniformisant hommes et femmes, qui finissent ainsi par être semblables à des ombres qui errent dans les vapeurs chaudes de ces limbes de plus en plus inquiétants.
Guido, recouvert comme les autres d'un drap blanc, descend vers les parties les plus intérieures des grottes ; l'atmosphère est très chaude, la pénombre de plus en plus dense et rougeâtre, les sons de plus en plus lointains et assourdis ; d'autres personnes enveloppées de blanc le suivent et le précèdent, et viennent à sa rencontre puis disparaissent immédiatement dans les tortuosités humides de la roche.
Presque soudainement, une très vaste caverne s'ouvre devant Guido, comme si l'étroit boyau se terminait là. L'ampleur et la hauteur sont peut-être moindres qu'il n'y paraît, mais les vapeurs blanches très épaisses qui la recouvrent en cachent les limites et la font paraître mystérieusement immense.
Pendant quelques instants, Guido a l'impression d'être resté complètement seul, car ceux qui descendaient avec lui ont disparu dans le brouillard épais ; puis, en bougeant doucement et en regardant autour

una moltitudine di gente avvolta nei bianchi sudari, seduta in silenzio tutt'attorno alla grotta.
Lentamente, esitando, Guido cerca un posto ; lo trova in fondo alla grotta, dove la gente è meno numerosa. Si siede, come gli altri, cercando ancora di riconoscere i volti dei vicini. Vede, poco discosto, avvolto come tutti nell'accappatoio bianco, e silenzioso e assorto come sempre, il cardinale.

Strada stazione termale. Esterno. Giorno.

341-350

Guido al volante della sua macchina, percorre lentamente una strada centrale della cittadina termale, nell'ora del passeggio. Conduce distrattamente, senza una meta precisa ; ma ad un tratto frena accostandosi al marciapiede e fermando la macchina.
Il suo sguardo si è fissato, con sorpresa, su una donna che cammina adagio e sola, sul marciapiede nella sua stessa direzione. È Luisa. Guido rimane fermo ad osservarla : Luisa non si è accorta di nulla e continua a camminare, tra la folla, allontanandosi. Evidentemente cerca di far passare il tempo in una solitudine che il posto e la circostanza rendono particolarmente patetica.

de lui, il découvre une multitude de gens enveloppés dans des suaires blancs, assis en silence tout autour de la grotte.
Lentement, en hésitant, Guido cherche une place ; il la trouve au fond de la grotte, où les gens sont moins nombreux. Il s'assoit, comme les autres, en cherchant toujours à reconnaître les visages de ses voisins. Il voit, non loin de là, enveloppé comme tout le monde dans un peignoir blanc, le cardinal, silencieux et absorbé comme à l'accoutumée.

Rue station thermale. Extérieur. Jour.

341-350

Guido, au volant de sa voiture, parcourt lentement une rue du centre de la petite ville thermale, à l'heure de la promenade. Il conduit distraitement, sans but précis ; mais soudain il freine, se range près du trottoir et arrête sa voiture.
Son regard s'est fixé sur une femme qui marche lentement et seule, sur le trottoir, dans la même direction que lui. C'est Luisa. Guido, arrêté, l'observe : Luisa ne s'est rendu compte de rien et continue à marcher, au milieu de la foule, en s'éloignant. De toute évidence, elle cherche à faire passer le temps dans une solitude que l'endroit et la circonstance rendent particulièrement pathétique.

Guido la segue con lo sguardo, osservandola come la vedesse per la prima volta, od osservasse una estranea : e infatti essa è così lontana da lui, in questo momento, tutta abbandonata a se tessa nei propri pensieri, che niente sembra collegarla all'uomo che la guarda a sua insaputa.
Quando sta per perderla di vista, Guido rimette in moto la macchina e lentissimamente costeggia il marciapiede, seguendo la moglie. La vede fermarsi davanti ad una vetrina, piegarsi ad osservare attentamente le stoffe che vi sono esposte, trarre dalla borsetta gli occhiali, inforcarli, riprendere l'esame delle stoffe e dei prezzi ; ma tutto questo è fatto con un'attenzione superficiale, distaccata, occasionale, senza un vero interesse. Guido si è di nuovo fermato pochi passi più indietro di Luisa.
Quando essa, toltisi gli occhiali, si distacca dalla vetrina, fa l'atto di chiamarla, ma immediatamente si trattiene, anzi avvia di nuovo l'automobile, quasi volesse allontanarsi rapidamente senza farsi osservare.
Ma, in quello stesso istante Luisa scende dal marciapiede per attraversare la strada : Guido frena subito, mentre la donna fa un passo indietro, poi, malcerta, dopo una breve esitazione, riprende l'attraversamento. Ha visto la macchina, ma è lontanissima dall'averla riconosciuta.
Guido si è immobilizzato : vede la donna passare davanti al radiatore della sua macchina ferma e quasi non respira. Sente che Luisa da un attimo all'altro,

Guido la suit du regard, l'observant comme s'il la voyait pour la première fois, ou comme s'il observait une étrangère : elle est en effet si loin de lui à ce moment-là, tout abandonnée à elle-même dans ses pensées, que rien ne semble la relier à l'homme qui la regarde à son insu.
Dès qu'il est sur le point de la perdre de vue, Guido rallume le moteur de sa voiture et longe très lentement le trottoir, en suivant sa femme. Il la voit s'arrêter devant une vitrine, se pencher pour observer attentivement les tissus exposés, tirer de son sac ses lunettes, les mettre, reprendre l'examen des tissus et des prix ; mais tout cela est fait avec une attention superficielle, détachée, occasionnelle, sans intérêt véritable. Guido s'est de nouveau arrêté à quelques pas derrière Luisa.
Lorsque, ôtant ses lunettes, elle s'éloigne de la vitrine, il fait le geste de l'appeler, mais il se retient immédiatement et remet au contraire la voiture en route comme s'il voulait s'éloigner rapidement sans se faire observer.
Mais, à ce même instant, Luisa descend du trottoir pour traverser : Guido freine aussitôt, tandis que sa femme fait un pas en arrière, puis, incertaine, après une courte hésitation, recommence à traverser. Elle a vu la voiture, mais elle est très loin de l'avoir reconnue.
Guido s'est immobilisé : il voit sa femme passer devant le radiateur de sa voiture arrêtée et il retient son souffle. Il sent que Luisa, d'un instant à l'autre,

attratta dallo sguardo fisso di lui, si volterà e lo riconoscerà.
È così infatti che avviene.
Luisa ha già oltrepassato la macchina e procede verso il marciapiede opposto, quando di scatto si volta, riconoscendo Guido.
Per un attimo i due si guardano in silenzio : Luisa meravigliata, Guido come colto in fallo.
Poi si sorridono, Luisa torna indietro e viene verso la macchina, di cui Guido le apre la portiera. Essa sale e gli si siede accanto.

GUIDO. – Quando sei arrivata ?
LUISA. – Alle cinque. Siamo venuti subito in albergo, ma tu eri fuori. Come stai ?... Ciao.

Guido si protende verso di lei e le dà un bacio su una guancia.

GUIDO. – Bene. E tu ? Ciao, cara. Con chi sei ?
LUISA. – Mi ha accompagnato Michela con Enrico e Tina. C'è anche Rossella. Stanno carcando le camere. Non è mica facile... Se tu conosci qualcuno...

Guido assente con il capo, tornando ad avviare la macchina.

DISSOLVENZA

attirée par son regard fixe se retournera et le reconnaîtra.
Et c'est ainsi que les choses se passent.
Luisa a déjà dépassé la voiture et avance vers le trottoir opposé, quand brusquement elle se retourne et reconnaît Guido.
Pendant un instant ils se regardent tous les deux en silence : Luisa stupéfaite, Guido comme s'il était pris en faute.
Puis ils se sourient, Luisa rebrousse chemin et se dirige vers la voiture, Guido lui ouvre la portière.
Elle monte et s'assoit à côté de lui.

GUIDO. – Quand es-tu arrivée ?
LUISA. – A cinq heures. Nous sommes allés tout de suite à l'hôtel, mais tu étais sorti. Comment vas-tu ?... Ciao...

Guido se penche vers elle et l'embrasse sur une joue.

GUIDO. – Bien. Et toi ? Ciao, chérie. Avec qui es-tu ?
LUISA. – Michela, Enrico et Tina m'ont accompagnée. Il y a aussi Rossella. Ils cherchent des chambres. Ce n'est pas facile... Si tu connais quelqu'un...

Guido acquiesce de la tête et remet la voiture en marche.

FONDU

Cinematografo cittadina. Interno. Notte.

351-385

Sullo schermo, nella sala buia, stanno passando le immagini di alcuni provini : una donna enorme, bestiale, arruffata, si muove con goffa e maestosa lentezza ; poi subito a questa ne succede un'altra, diversa ma simile, che ripete quasi gli stessi gesti della prima.
Seduti qua e là, nelle poltroncine di legno stanno : Guido, con il produttore, Ing. Pace, e Bruno, il direttore di produzione, nella seconda o terza fila ;
dietro di lui, Luisa, che ha al suo fianco una donna giovane e legnosa, dal viso scolpito e strano, che fuma in silenzio, un po' rigida, assorta : Rossella ; oltre Rossella, c'è una signorina calma, bianca, lenta, Michela, la sorella di Luisa ;
nella fila subito dietro sta seduto, solo, un giovinottello elegante, serio, dall'aspetto di un giovane professionista e neolaureato, il cui sguardo passa sovente dallo schermo a Luisa, quasi temesse di perderla d'occhio. Si chiama Enrico. Poi c'è una signora anziana, piccola, zoppa, bruttissima, molto truccata e di un'eleganza eccentrica, che parla in modo aggressivo con un vocione roco sgradevolissimo ; ha con sé un accompagnatore, evidentemente un suo vecchio amante, un tipo spaesato di ometto

Cinéma de la ville. Intérieur. Nuit.

351-385

Sur l'écran, dans la salle obscure, passent les images de quelques essais : une femme énorme, bestiale, ébouriffée, bouge avec une lenteur maladroite et majestueuse ; puis, celle-ci est immédiatement suivie d'une autre, différente mais semblable, qui répète presque les mêmes gestes que la première.
Assis dans les fauteuils en bois se trouvent, ici et là : Guido, avec le producteur Pace, et Bruno, le directeur de la production, dans la deuxième ou troisième rangée ;
derrière lui, Luisa, et à côté d'elle se trouve une femme jeune et sèche, au visage sculptural et étrange, qui fume en silence, un peu raide, absorbée, Rossella ; un peu plus loin, il y a une demoiselle tranquille, blanche, lente, Michela, la sœur de Luisa ;
dans la rangée qui se trouve juste derrière est assis, seul, un jeune homme élégant, sérieux, qui semblerait pouvoir exercer une profession libérale et avoir obtenu récemment son diplôme, et dont le regard passe souvent de l'écran à Luisa, comme s'il craignait de la perdre de vue. Il s'appelle Enrico. Puis il y a une dame d'un certain âge, petite, boiteuse et très laide, excessivement fardée et habillée de façon excentrique, qui parle avec agressivité et d'une grosse voix rauque très désagréable ; de toute évidence, elle est accompagnée par un de ses anciens amants, un genre

calvo, dimesso malgrado l'eleganza inglese dei suoi abiti, molto silenzioso. Si chiamano Tina e D'Andrea. Carini è seduto, da solo, all'estremità di una delle prime file, gli altri impiegati della produzione stanno qua e là, qualcuno in piedi, altri seduti di traverso, con le ginocchia fin sul mento, o i piedi appoggiati agli schienali della fila anteriore.
Guido segue la proiezione in silenzio, con i nervi a fior di pelle. Gli sguardi interrogativi e sospesi che l'Ing. Pace continua a rivolgergli e la silenziosa presenza di Luisa alle sue spalle accrescono il disagio della situazione. Quando sullo schermo appare la seconda donnona cavernicola, dal fondo della sala si leva il vocione di Tina :

TINA. – Perché non mi fai un provino pure a me ?... Se ti vanno i mostri...

Guido non risponde. Il produttore si volge verso di lui dicendo a mezza voce, e cercando ansiosamente la sua approvazione :

PACE. – Stupenda ! Dove l'hai presa ? Stupenda !...

Guido non risponde che con un generico cenno del capo. Intanto sullo schermo appare una bella donna formosa, giovane, elegante. La solita vociona di Tina commenta :

TINA. – Caruccia ! Chi è ?...

de bonhomme chauve, à l'air dépaysé, d'aspect modeste malgré l'élégance anglaise de ses vêtements, très silencieux. Ils s'appellent Tina et D'Andrea. Carini est assis tout seul, à l'extrémité d'une des premières rangées, les autres employés de la production se trouvent ici et là, certains debout, d'autres assis de travers, les genoux pliés jusqu'au menton, ou les pieds appuyés aux dossiers de la rangée antérieure. Guido suit la projection en silence, les nerfs à fleur de peau. Les regards interrogatifs et hésitants que Pace continue à lui adresser, accroissent le malaise de la situation. Quand sur l'écran apparaît la deuxième énorme femme cavernicole, la grosse voix de Tina s'élève du fond de la salle :

TINA. – Pourquoi tu ne me fais pas tourner un essai à moi aussi ?... Si tu as envie de monstres...

Guido ne répond pas. Le producteur se retourne vers lui en cherchant anxieusement son approbation et lui dit à mi-voix :

PACE. – Sublime ! Où l'as-tu trouvée ? Sublime !...

Guido ne répond que par un geste évasif de la tête. Entre-temps apparaît sur l'écran une belle femme plantureuse, jeune, élégante. La grosse voix habituelle de Tina commente :

TINA. – Mignonne ! Qui c'est ?...

Senza voltarsi, ma tutto soddisfatto, l'Ing. Pace risponde :

PACE. – L'amante…

Poi volto di nuovo a Guido, commenta :

PACE. – … È una trovata, questa… Bellissima…

Guido non risponde ; si volge verso Luisa col pretesto di chiederle una sigaretta, ma in realtà per gettarle un'occhiata scrutatrice.

GUIDO. – Una sigaretta per favore ?

Luisa in silenzio gli porge la sigaretta, per un attimo i loro sguardi si incontrano nel buio. Sullo schermo appare una seconda candidata allo stesso ruolo ; questa volta una sua mossa un po' comica provoca nella sala alcune sommesse risate e alcuni commenti a mezza voce. Pace fa un breve cenno di dissenso a Guido, aspettandone la conferma, che non viene.
Sullo schermo appare una donna dal viso amaro, un po' triste, dai tratti molto marcati, quasi da giudice. La sorella di Luisa, Michela, si sporge in avanti e chiede a mezza voce :

MICHELA. – Chi è, questa ?

Sans se retourner, mais très satisfait, Pace répond :

PACE. – La maîtresse…

Puis, s'adressant de nouveau à Guido, il commente :

PACE. – … Ça c'est une vraie trouvaille… Très belle…

Guido ne répond pas ; il se retourne vers Luisa sous prétexte de lui demander une cigarette, mais en réalité pour lui lancer un coup d'œil scrutateur.

GUIDO. – Une cigarette, s'il te plaît ?

Luisa lui offre en silence une cigarette ; un court instant, leurs regards se rencontrent dans l'obscurité. Sur l'écran apparaît une deuxième candidate pour le même rôle ; cette fois, un mouvement un peu comique provoque dans la salle des rires étouffés et quelques commentaires à mi-voix. Pace fait un bref signe de désaccord à Guido, en attendant une confirmation qui ne vient pas.
Sur l'écran apparaît une femme au visage amer, un peu triste, aux traits extrêmement marqués, presque ceux d'un juge. La sœur de Luisa, Michela, se penche en avant et demande à mi-voix :

MICHELA. – Qui c'est, celle-là ?

Rigida, in tono di scherzo amaro, Luisa risponde a mezza voce ma molto udibilmente :

LUISA. – Chi vuoi che sia… sarà la moglie…

Rossella, nel buio, la guarda ; poi guarda Guido, immobile e silenzioso. Pieno di zelo e di entusiasmo, Pace assente senza capire.

PACE. – Sì, sì… La moglie… Lo sa, che è esattissima… Io non esiterei… Sembra Savonarola…

Si volge verso Bruno

PACE. – Come si chiama ?
BRUNO. – È un'inglese… Fay…, mi pare.

Dal fondo, uno della produzione getta noncurante :

AIUTO. – Fay Lawrence…

Per rompere il disagio, Rossella chiede, senza guardare nessuno :

ROSSELLA. – È un'attrice ?…

Raide, sur le ton d'une plaisanterie amère, Luisa répond à mi-voix, mais de façon très audible :

LUISA. – Qui veux-tu que ce soit… Ce doit être la femme…

Rossella, dans la pénombre, la regarde ; puis elle regarde Guido, immobile et silencieux. Plein de zèle et d'enthousiasme, Pace acquiesce sans comprendre.

PACE. – Oui, oui… La femme… Savez-vous qu'elle est parfaite… Moi, je n'hésiterais pas… On dirait Savonarole…

Il se tourne vers Bruno :

PACE. – Comment s'appelle-t-elle ?
BRUNO. – C'est une anglaise… Fay…, il me semble.

Du fond, quelqu'un de la production lance nonchalamment :

UN ASSISTANT. – Fay Lawrence…

Pour rompre le malaise, Rossella demande, sans regarder personne :

ROSSELLA. – C'est une actrice ?…

Dal fondo, Tina ribatte, roca :

TINA. – Macché attrice !… Non l'ho mai vista…

Luisa segue in silenzio, un po' rigida, il muoversi di quell'altro volto sullo schermo.
Poi la luce si riaccende in sala. Segue un momento di silenzio generale ; quelli che stanno nelle ultime file si alzano e lentamente vengono in avanti, quasi circondando Guido, che è rimasto seduto, silenzioso. Pace lo sta guardando, sospeso. Poi, siccome Guido non si pronuncia, Pace azzarda :

PACE. – Per me, la prima va bene… Anche la terza… La Fay è ottima !…

Guido annuisce genericamente. Bruno, fissandolo un po' più gravemente, chiede :

BRUNO. – Allora, la blocco ? Sospendiamo gli altri provini ?

Guido risponde a mezza voce :

GUIDO. – No… Meglio farli…

Bruno guarda il produttore come per chiedere « che facciamo ? »

Du fond, Tina réplique, d'une voix rauque :

TINA. – Tu parles d'une actrice !... Je ne l'ai jamais vue...

Luisa, toujours un peu raide, suit en silence les mouvements de l'autre visage sur l'écran.
Puis la lumière se rallume dans la salle. Suit un moment de silence général ; ceux qui se trouvaient dans les dernières rangées se lèvent et avancent lentement, en entourant Guido qui est resté assis, silencieux. Pace le regarde indécis. Puis, comme Guido ne dit mot, Pace lance :

PACE. – Pour moi, la première convient bien... Et même la troisième... La Fay est excellente !...

Guido acquiesce superficiellement. Bruno, le fixant avec un air un peu plus grave, demande :

BRUNO. – Alors, je la retiens ? Nous arrêtons les autres essais ?

Guido répond à mi-voix :

GUIDO. – Non... Il vaut mieux les faire...

Bruno regarde le producteur comme pour demander « qu'est-ce qu'on fait ? »

Luisa chiede a Guido con una inquietudine e una sospettosità malcelate :

LUISA. – Ma cos'è questo film ?... Cosa vuoi fare ?...

Guido cerca di metterla in scherzo. Ridendo, alzandosi.

GUIDO. – E chi lo sa !...

Tina commenta, con ironia greve :

TINA. – Il maestro !... Il genio improvvisatore !... Va là, buffone !...

Anche Pace si alza ; reagisce con patetico ottimismo.

PACE. – No, è che è un film impegnativo... Ha ragione... Ma io sono sicuro che è imbroccato... Sicurissimo...

Per troncare, Guido fa la presentazione delle persone che intanto si sono raccolte intorno a lui e a Pace.

GUIDO. – La mia cognatina, Michela ; l'Ing. Pace ; la signora Rossella Host ; la signora Tina Cimesi ; l'Ing. D'Andrea...

Luisa demande à Guido avec une inquiétude et une méfiance mal dissimulées :

LUISA. – Mais qu'est-ce que c'est, ce film ?... Qu'est-ce que tu veux faire ?...

Guido essaie de répondre sur le ton de la plaisanterie. Il se lève en riant.

GUIDO. – Va savoir !...

Tina commente, avec une lourde ironie :

TINA. – Le maestro !... Le génie improvisateur !... Va te faire voir, espèce de pitre !...

Pace se lève lui aussi ; il réagit avec un optimisme pathétique.

PACE. – Non, c'est qu'il s'agit d'un film très délicat, qui lui tient beaucoup à cœur... Il a raison... Mais moi, je suis sûr qu'il est tombé juste... Tout à fait sûr...

Pour couper court, Guido fait les présentations des personnes qui, entre-temps, se sont rassemblées autour de lui et de Pace.

GUIDO. – Ma chère belle-sœur, Michela ; monsieur Pace. Madame Rossella Host ; madame Tina Cimesi ; monsieur D'Andrea...

Esita un attimo, non riesce a ricordare il nome del giovinottello.
Lo suggerisce Luisa.

LUISA. – Enrico Costa.

DISSOLVENZA

Lago e astronave. Esterno. Giorno. (Tramonto.)

386-436

Sulla sponda disabitata e ancora selvaggia di un lago, si innalzano le incastellature di una enorme costruzione fittizia ; la piattaforma di una fantastica astronave, per una scena del film. C'è vento. Il lago e le sue rive deserte sotto il cielo di un tramonto tempestoso hanno un aspetto un po' sinistro. Tre o quattro automobili si fermano a poca distanza ; ne scendono tutti coloro che erano presenti ai provini. Gli operai addetti alla costruzione stanno per abbandonare il lavoro. Si sentono ancora dei colpi di martello, delle voci. Il capo reparto, un ometto calvo e dimesso, si fa subito incontro al produttore e a Bruno, mentre nel vento s'ode la voce roca di Tina, che si rivolge a Guido.

Il hésite un instant, il ne parvient pas à se souvenir du nom du jeune homme.
C'est Luisa qui le lui souffle :

LUISA. – Enrico Costa.

FONDU

Lac et astronef. Extérieur. Jour. (Couchant.)

386-436

Sur la rive inhabitée et encore sauvage d'un lac, s'élèvent les échafaudages d'une énorme construction factice : la plate-forme d'un astronef fantastique, pour une scène du film. Il y a du vent. Le lac et ses rives désertes, sous le ciel d'un coucher de soleil orageux, ont un aspect un peu sinistre. Trois ou quatre voitures s'arrêtent non loin de là et tous ceux qui étaient présents aux essais en descendent. Les ouvriers préposés à la construction vont quitter leur travail. On entend encore des coups de marteau, des voix. Le chef de chantier, un petit homme chauve et modeste, se porte tout de suite à la rencontre du producteur et de Bruno, tandis que, dans le vent, on entend la voix rauque de Tina qui s'adresse à Guido.

TINA. – Ma che fai ?... Un film di fantascienza ?...

E poiché Guido continua a camminare senza risponderle, Tina interpella Luisa, dopo essersi rivolta al silenzioso D'Andrea :

TINA. – La macchina... Dà la macchina... Ma che fa, tuo marito ?... Si mette a fare pure i marziani ?...

Luisa è sempre più tesa, risponde :

LUISA. – A me, lo domandi ?... Che vuoi che ne sappia io... Sono sempre l'ultima a sapere...

Guido si volge a guardarla, anch'egli è sempre più teso e nervoso. Nel voltarsi, si accorge che D'Andrea, ubbidendo a Tina, si accinge a scattare delle fotografie con la macchina che ha a tracolla. Interviene subito, infastidito e quasi aspro.

GUIDO. – No, per favore, no... Niente fotografie... Ehi, Tina, non cominciare a rompere le scatole...
TINA. – Ma che non si può ?... Due foto, per la mia rivista... Che sarà mai !...

TINA. – Mais tu fais quoi ?... Un film de science-fiction ?...

Et comme Guido continue à marcher sans lui répondre, Tina interroge Luisa, après s'être adressée à D'Andrea, toujours silencieux :

TINA. – L'appareil... Donne-moi l'appareil... Mais qu'est-ce qu'il fait, ton mari ?... Il joue aussi aux martiens ?...

Luisa, de plus en plus tendue, répond :

LUISA. – C'est à moi que tu demandes ça ?... Comment veux-tu que je le sache... Je suis toujours la dernière à savoir...

Guido se retourne pour la regarder ; lui aussi est de plus en plus tendu et nerveux. En se retournant, il s'aperçoit que D'Andrea, obéissant à Tina, se prépare à prendre des photos avec l'appareil qu'il porte en bandoulière. Il intervient aussitôt, agacé et presque grossier.

GUIDO. – Non, s'il vous plaît, non... Pas de photos... Eh, Tina, ne commence pas à me casser les pieds...
TINA. – Pourquoi je ne peux pas ?... Deux photos, pour ma revue... Qu'est-ce que ça peut faire !...

Il produttore, che stava parlando col capo reparto e con Bruno, afferra al volo, e si volge minacciosamente.

PACE *(vivacissimamente).* – Ah ! no !… Niente fotografie, sa !… Assolutamente !… Che scherziamo ?… Questa è anche una trovata pubblicitaria… Fino al 20, niente… Dopo, quanto volete…

Pace è pieno di eccitazione entusiastica e soddisfatta. Torna a rivolgersi al capo operaio.

PACE. – Per il 20 ? Siamo pronti ?… Guarda che per il 20, deve essere tutto finito…

Poi agli altri.

PACE. – … Si può salire… Salite, salite…

Luisa dice, intanto, a mezza voce a Guido :

LUISA. – Che modi !… Ma cos'hai ?…

Guido, nello stesso tono, ma anche un po' più aggressivo, ribatte :

GUIDO. – Cosa l'hai portata a fare, quella lì… Che bisogno di tirarti dietro tutta la corte !…

Le producteur, qui était en train de parler avec le chef du chantier et avec Bruno, saisit immédiatement ce qui se passe et se retourne menaçant.

PACE *(avec beaucoup de vivacité).* – Ah non !… Pas de photos, s'il vous plaît !… Absolument pas !… Pas de plaisanterie !… Ça aussi c'est une trouvaille publicitaire… Jusqu'au 20, il n'en est pas question… Après, autant que vous voudrez…

Pace est tout excité, enthousiaste et satisfait. Il s'adresse à nouveau au chef du chantier.

PACE. – Pour le 20 ? Ce sera prêt ?… Pour le 20, tout doit être fini…

Puis, aux autres :

PACE. – … On peut monter… Montez, montez…

Luisa, entre-temps, dit à Guido, à voix basse :

LUISA. – Quelles manières ! Mais qu'est-ce que tu as ?

Guido, sur le même ton, mais un peu plus agressif, réplique :

GUIDO. – Pourquoi tu l'as emmenée avec toi, celle-là ! ?… Quel besoin tu avais d'entraîner toute ta cour !…

Luisa non risponde e passa oltre ; sua sorella Michela, che la segue, dice a mezza voce, pacatamente, con sottolineata e sprezzante avversione :

MICHELA. – Se penso che potrebbe toccarmi un marito come te !…

Guido la guarda un po' interdetto ; si fruga meccanicamente in tasca, cercando le sigarette, e nell'avviarsi si trova di fronte a Enrico. Guido lo guarda con curiosità e lo interpella, ma come se le sigarette fossero un pretesto.

GUIDO. – Ha una sigaretta ?…

Il ragazzo, si affretta a tendergli il suo pacchetto, ma verso Guido è pieno di disagio e di giovanile reticenza.

GUIDO. – Grazie… Lei è architetto, vero ?…
ENRICO. – Sì… Cioè, mi laureo a ottobre…
GUIDO. – Lavora già con qualcuno ?…
ENRICO. – Sì… Nello studio dell'Ing. Renzi… ma adesso ho dovuto interrompere per preparare gli esami…
GUIDO. – Il cinema la interessa ?…
ENRICO. – Sì… Ci vado molto… Ma così, da spettatore… Non me ne intendo…

Luisa ne répond pas et avance ; sa sœur Michela, qui la suit, dit à mi-voix, calmement, avec une aversion méprisante et appuyée :

MICHELA. – Quand je pense que je pourrais avoir un mari comme toi !…

Guido la regarde un peu déconcerté ; il fouille mécaniquement dans ses poches, en cherchant des cigarettes, et en avançant il tombe sur Enrico. Guido le regarde avec curiosité et l'interroge, comme si les cigarettes étaient un prétexte.

GUIDO. – Avez-vous une cigarette ?…

Le jeune homme s'empresse de lui tendre son paquet, mais devant Guido il est très mal à l'aise et plein d'une réticence juvénile.

GUIDO. – Merci… Vous êtes architecte, n'est-ce pas ?…
ENRICO. – Oui… A vrai dire je passe mon diplôme en octobre…
GUIDO. – Vous travaillez déjà avec quelqu'un ?…
ENRICO. – Oui… Dans l'étude de l'ingénieur Renzi… mais pour l'instant j'ai dû arrêter pour préparer mes examens…
GUIDO. – Le cinéma vous intéresse ?…
ENRICO. – Oui… J'y vais souvent… Mais comme ça, en tant que spectateur… Je n'y comprends pas grand-chose…

Nell'ultima frase c'è stata una sensibile sfumatura di polemica un po' ostile. Guido ha acceso la sigaretta al lighter che Enrico gli tendeva ; ringrazia e si volge altrove.

GUIDO. – Grazie…

Si trova di fronte a Rossella : le chiede :

GUIDO. – Come si chiama, quel ragazzo ?… Non me ne ricordo mai…
ROSSELLA. – Enrico….
GUIDO. – Ah sì !… È innamorato di Luisa, no ?
ROSSELLA. – Certo… Lo sanno tutti… È così giovane, si fa capire…

Poi con un sorriso discreto e intelligente, riprende :

ROSSELLA. – … Ma questo cosa sarebbe ?… Me lo puoi spiegare, o no ?…

Con lei, Guido è più disteso, le parla con simpatia e spontaneità. Sorride.

GUIDO. – È inutile… Tanto, non la giro, questa scena… La taglio…

Rossella lo guarda interdetta, più con rammarico che con rimprovero.

Il a dit cette dernière phrase avec une nuance sensible de polémique un peu hostile. Guido a allumé sa cigarette au briquet qu'Enrico lui tendait ; il le remercie et se tourne dans une autre direction.

GUIDO. – Merci…

Il se retrouve face à Rossella et lui demande :

GUIDO. – Comment s'appelle ce jeune homme ?… Je ne m'en souviens jamais…
ROSSELLA. – Enrico…
GUIDO. – Ah oui !… Il est amoureux de Luisa, n'est-ce pas ?
ROSSELLA. – Bien sûr… Tout le monde le sait… Il est si jeune, il le laisse voir…

Puis, avec un sourire discret et intelligent, elle reprend :

ROSSELLA. – … Mais ça, c'est quoi ?… Tu peux me l'expliquer peut-être…

Avec elle, Guido est plus détendu, il lui parle avec sympathie et spontanéité. Il sourit.

GUIDO. – C'est inutile… D'ailleurs, cette scène, je ne vais pas la tourner… Je vais la couper…

Rossella le regarde déconcertée, avec un sentiment de regret plus que de reproche.

ROSSELLA. – Ma qui si buttano dei milioni!…

Guido si stringe nelle spalle e si allontana, con una piega amara in volto.
Pace, che già sta salendo verso la sommità della costruzione, parla con trasporto fiducioso a quelli che gli stanno intorno.

PACE. – … una folla intera… i resti dell'umanità… che abbandona la terra; … con i vescovi, i preti, forse anche il papa… si salvano su un altro pianeta, forse, non so, dopo le atomiche… Saranno più di mille comparse… qui sulla riva… Una processione che non finisce mai. Quando lui me l'ha detto, avevo la pelle d'oca… Stupendo… mai visto… Vero, Carini?

Astratto, reticente, Carini risponde senza guardare nessuno.

CARINI. – Io, le mie impressioni, gliel'ho dette, a Guido… Lo sa, quello che penso…

A mezza voce, come confidando un segreto e accennando a Guido che sale, Pace riprende.

PACE. – Se li mangia tutti… Genialissimo… Un po' matto, be'! … Piuttosto, con questo vento… le fondazioni sono solide?… Quanti metri siete andati sotto?…

ROSSELLA. – Mais vous jetez des millions !…

Guido hausse les épaules et s'éloigne, un pli amer à la bouche.
Pace, qui monte déjà vers le sommet de la construction, parle avec un élan confiant à tous ceux qui l'entourent.

PACE. – … une foule entière… les restes de l'humanité… en train de quitter la Terre… avec des évêques, des prêtres, et même le pape, peut-être… ils se sauvent sur une autre planète, peut-être, je ne sais pas, après les explosions atomiques… Il y aura plus de mille figurants… ici, sur la rive… Une procession à n'en plus finir. Quand il m'en a parlé, j'en avais la chair de poule… Sublime… du jamais vu… N'est-ce pas, Carini ?

Absent, réticent, Carini répond sans regarder personne.

CARINI. – Mes impressions, je les ai dites à Guido… Il sait ce que je pense…

A mi-voix, comme s'il confiait un secret et en indiquant Guido qui monte, Pace reprend :

PACE. – Il les bouffe tous, les autres… Totalement génial… Un peu fou, oui !… A propos, avec ce vent… les fondations sont solides ?… Jusqu'à combien de mètres vous avez creusé ?…

CAPO OPERAIO. – Tre metri… Bastano…
BRUNO. – Vedrai se bastano ! Ti avevo detto almeno quattro… Se il vento aumenta, qui va giù tutto…
CAPO OPERAIO. – Non va giù, non va giù…
BRUNO. – Vedrai se non va giù !
CAPO OPERAIO. – Non va giù… Più di tre di fondazioni non ho mai fatto, nemmeno per *Ben Hur*…

Pace li guarda, a turno, preoccupato.

PACE. – Sono dieci metri fuori terra… Lo sai ?… Dieci metri !
TINA. – E il missile ?… Dove sta, il missile ?…

Pace è ripreso dalla sua eccitazione illustrativa.

PACE. – Ah no ! il missile, no ! Staremmo freschi ! Si fa col modellino… Si piazza sulla spiaggia, là sotto… il modellino su una lastra di vetro… e si inquadra in prospettiva… Un risultato stupefacente… C'è solo l'inconveniente dell'inquadratura fissa… ma il risultato è perfetto…

Si rivolge a Guido, che li ha raggiunti, e sta salendo verso l'ultima piattaforma.

PACE. – A quanti metri lo piazzate, il modellino ?

LE CHEF DE CHANTIER. – Trois mètres… Ça suffit…
BRUNO. – Tu verras si ça suffit ! Je t'avais dit au moins quatre… Si le vent augmente, tout va tomber…
LE CHEF DE CHANTIER. – Ça ne tombera pas, ça ne tombera pas…
BRUNO. – Tu verras si ça ne tombe pas !
LE CHEF DE CHANTIER. – Ça ne tombera pas… Je n'ai jamais fait plus de trois mètres de fondations, pas même pour *Ben Hur*…

Pace les regarde, tour à tour, soucieux.

PACE. – Il y a dix mètres de hauteur à l'extérieur… Tu le sais ?… Dix mètres !
TINA. – Et la fusée ?… Où est la fusée ?…

Pace est repris par son excitation explicative.

PACE. – Ah non ! la fusée, non ! Il ne manquerait plus que ça ! On fera une maquette… On la placera sur la plage, là-bas… la maquette sur une plaque de verre… et on la prendra en perspective… Un résultat stupéfiant… Il n'y a que l'inconvénient du plan fixe… mais le résultat est parfait…

Il s'adresse à Guido qui, les ayant rejoints, va monter vers la dernière plate-forme.

PACE. – A combien de mètres vous allez la placer, la maquette ?

Guido senza fermarsi risponde :

GUIDO. – Quattro, cinque…

Sull' ultima piattaforma, sono giunte Luisa, Enrico e Michela. Guido sbuca alle loro spalle, si trova di fianco a Luisa. C' è un momento di disagio reciproco, molto teso.
Poi Guido dice :

GUIDO. – Copriti… Non stare qui… Non senti che vento ?… Poi ti riprendono i tuoi dolori…

Luisa senza rispondere si chiude meglio il cappotto sul petto ; ma rimane a guardare il lago e la spiaggia, corsi dal vento, molto in basso. Gli altri si scostano un poco ; Guido riprende, più aggressivo ma evidentemente inquieto :

GUIDO. – Ma cos'hai ?… Non stai bene ?
LUISA. – Io ?… Tu piuttosto… Io sono venuta perché me l'hai detto tu… Se ti dava tanto fastidio, perché mi hai fatto venire ?…

Luisa si allontana senza aspettare la risposta. Guido si trova accanto a Rossella, che lo guarda, seria. Gli dice a mezza voce :

Guido répond sans s'arrêter :

GUIDO. – Quatre, cinq…

Entre-temps, Luisa, Enrico et Michela sont arrivés sur la dernière plate-forme. Guido arrive lui aussi derrière eux, il se trouve côte à côte avec Luisa. Il y a un moment de malaise réciproque, très tendu.
Puis Guido dit :

GUIDO. – Couvre-toi… Ne reste pas là… Tu ne sens pas le vent qu'il y a ?… Tes douleurs vont te reprendre…

Luisa, sans lui répondre, ferme mieux son manteau sur sa poitrine ; mais elle s'arrête pour regarder le lac et la plage, que le vent parcourt, tout à fait en bas. Les autres s'écartent un peu ; Guido reprend, plus agressif mais évidemment inquiet :

GUIDO. – Mais qu'est-ce que tu as ?… Tu ne vas pas bien ?…
LUISA. – Moi ?… Toi, plutôt… Je suis venue parce que tu me l'as demandé… Si je t'ennuyais autant, pourquoi m'as-tu fait venir ?…

Luisa s'éloigne sans attendre la réponse. Guido se retrouve près de Rossella, qui le regarde d'un air sérieux. Elle lui dit, à mi-voix :

ROSSELLA. – Era così di buonumore… Era molto contenta di venire ! Poi, non so, arrivando qui… deve aver visto qualcosa… Forse tu lo sai…

Guido nega, in malafede.

GUIDO. – Cosa vuoi che ne sappia io !… È sempre così… così maestrina ! Cosa t'ha detto ? Che ha visto qualcuno ?… Chi ?…
ROSSELLA. – No, non m'ha detto niente…

Guido si appoggia al parapetto della terrazza accanto a Rossella, dice, con un profondo, amaro desiderio di liberazione, ma anche con un po' di istrionismo :

GUIDO. – Pensa che bellezza… se questa astronave fosse vera ! Andarsene, lasciare dietro tutto quanto !… Che liberazione ! Che avventura meravigliosa !
ROSSELLA. – Andresti a combinare pasticci in un altro posto : tutto lì. Ci si può arrivare molto meglio, ai mondi che non conosciamo. Perché non provi ?

Guido la guarda con un interesse curioso, quasi affascinato.

GUIDO. – Tu dovresti chiedere un consiglio, per me, alla tua guida… Sul serio…

ROSSELLA. – Elle était de si bonne humeur… si contente de venir ! Après, je ne sais pas, en arrivant ici… elle a dû voir quelque chose… Peut-être que toi, tu le sais…

Guido nie, avec mauvaise foi.

GUIDO. – Qu'est-ce que tu veux que j'en sache, moi !… Elle est toujours comme ça… elle fait tellement institutrice ! Qu'est-ce qu'elle t'a dit ? Qu'elle a vu quelqu'un ?… Qui ?…
ROSSELLA. – Non, elle ne m'a rien dit…

Guido s'appuie sur le parapet de la terrasse près de Rossella, avec un désir profondément amer de libération, mais aussi un peu théâtral.

GUIDO. – Comme ce serait beau… si cet astronef était vrai ! S'en aller, laisser tout derrière soi !… Quelle délivrance ! Quelle merveilleuse aventure !
ROSSELLA. – Tu irais faire des tiennes ailleurs : voilà tout. Il y a une meilleure façon d'atteindre les mondes que nous ne connaissons pas. Pourquoi tu n'essaies pas ?

Guido la regarde avec un intérêt curieux, presque fasciné.

GUIDO. – Tu devrais demander un conseil, pour moi, à ton guide… Sérieusement…

Rossella, sorride, a disagio, cordiale, un po' ironica.

ROSSELLA. – In queste cose, sei come un bambino... Sei soltanto curioso...
GUIDO. – Ma per Luisa, li chiedi...

Poi, subito, riprende :

GUIDO. – Quando ti parla di me, Luisa, cosa ti dice ? Che intenzioni ha ? Cosa vuol fare ?
ROSSELLA. – Un giorno dice una cosa, un giorno l'altra. Poveretta... Se sapesse bene quello che vuole... Purtroppo vorrebbe una cosa sola : che tu fossi diverso da quello che sei... È un brutto momento...
GUIDO. – Che vuole da me ?... Perché non può accettarmi come sono ?...
ROSSELLA. – Perché ti vuol bene...

C'è una pausa : Guido la guarda con simpatia molto viva. Le chiede :

GUIDO. – E tu ? Quando ti sposi, tu ?...

Rossella sorride, con semplicità.

ROSSELLA. – E la mamma ?... A chi la lascio ?...
GUIDO. – Ma sei innamorata di qualcuno ? Di chi ?

Rossella sourit, mal à l'aise, cordiale, un peu ironique.

ROSSELLA. – Pour ces choses-là, tu es comme un enfant… Tu es simplement curieux…
GUIDO. – Mais pour Luisa, tu les demandes…

Puis, aussitôt, il se reprend :

GUIDO. – Quand elle te parle de moi, Luisa, qu'est-ce qu'elle te dit ? Quelles sont ses intentions ? Qu'est-ce qu'elle veux faire ?
ROSSELLA. – Un jour elle dit une chose, le lendemain une autre. La pauvre… Si elle savait vraiment ce qu'elle veut… Malheureusement elle ne veut qu'une chose : que tu sois différent de ce que tu es… C'est un mauvais moment…
GUIDO. – Que veut-elle de moi ?… Pourquoi ne peut-elle pas m'accepter comme je suis ?…
ROSSELLA. – Parce qu'elle t'aime…

Il y a un silence ; Guido la regarde avec une vive sympathie. Il lui demande :

GUIDO. – Et toi, quand est-ce que tu te maries ?…

Rossella sourit, avec simplicité.

ROSSELLA. – Et ma mère ?… A qui je vais la laisser ?…
GUIDO. – Mais tu es amoureuse de quelqu'un ? De qui ?

ROSSELLA. – Di nessuno…

Il tono di Guido è ancora più serio, con una sfumatura di angoscia

GUIDO. – Senti Rossella, non lo dico per scherzo, perché non chiedi, per me…
ROSSELLA. – Che cosa ?…
GUIDO. – Per questo film… se devo farlo… Per Luisa…

Un disagio profondo si è impadronito di Rossella ; il suo sguardo ha qualcosa di strano, di lontanissimo.

ROSSELLA. – Quando mi capita… senza che io lo cerchi… Ma io ho paura… È pericoloso mi fa sempre più paura, sai ?… Sono stata così male, un anno fa…

Volge su Guido, che l'ascolta affascinato, gli occhi pieni di ombre ; lo fissa un istante, poi dice, con un tono che vorrebbe essere naturale :

ROSSELLA. – E poi, perché… Sei tu che devi decidere… È un brutto momento… È il tuo corpo astrale, che è malato… Devi decidere tu…

Sotto di loro, sulla spiaggia, molti sono già ritornati alle automobili. È quasi buio. Qualcuno, da una delle

ROSSELLA. – De personne…

Le ton de Guido se fait encore plus sérieux, avec une nuance d'angoisse.

GUIDO. – Écoute-moi, Rossella, je ne plaisante pas, pourquoi tu ne demandes pas, pour moi…
ROSSELLA. – Quoi donc ?…
GUIDO. – Pour ce film… si je dois le faire… Pour Luisa…

Un malaise profond s'est emparé de Rossella ; son regard a quelque chose d'étrange, de très lointain.

ROSSELLA. – Quand ça m'arrive… sans le vouloir… Mais j'ai peur… C'est dangereux et ça me fait de plus en plus peur, tu sais ?… J'ai été si mal, il y a un an…

Elle tourne vers Guido, qui l'écoute fasciné, des yeux pleins d'ombres ; elle le fixe un instant, puis elle dit, sur un ton qui voudrait être naturel :

ROSSELLA. – Et puis, pourquoi ?… C'est à toi de décider… C'est un mauvais moment… C'est ton corps astral qui est malade… C'est à toi de décider…

Au-dessous d'eux, sur la plage, presque tout le monde a regagné les voitures. Il fait presque noir. D'une des

macchine, suona ripetutamente il clakson, sollecitandoli.

DISSOLVENZA

Camera. Letto. Albergo terme. Interno. Notte.

437-441

Ora Guido e Luisa sono in letto, uno accanto all'altra. Non dormono, stanno con gli occhi aperti, una silenziosa tensione che diventa sempre più insostenibile. D'un tratto Luisa scoppia in una risata aspra, aggressiva, amara. Guido, quasi con altrettanta aggressività chiede :

GUIDO. – Cosa c'è ?
LUISA. – Niente. Se ti vedessi !...

E ride di nuovo, nello stesso tono. Pure nello stesso tono Guido insiste :

GUIDO. – Perché ridi ?
LUISA. – Credo che io non ti tradirei solo per quanto è ridicolo star sempre con l'ansia, nascondersi, mentire. Ridicolo e faticoso : ma si vede che a te ti riesce facile.

voitures, quelqu'un les appelle, en klaxonnant de façon répétée et leur faisant signe de se presser.

FONDU

Chambre. Lit. Hôtel des thermes. Intérieur. Nuit.

437-441

Guido et Luisa sont maintenant dans leur lit, l'un près de l'autre. Ils ne dorment pas, ils restent les yeux ouverts, dans une tension silencieuse qui devient de plus en plus insoutenable. Tout d'un coup, Luisa éclate d'un rire âpre, agressif, amer. Guido, presque aussi agressif, demande :

GUIDO. – Qu'est-ce qu'il y a ?
LUISA. – Rien. Si tu te voyais !...

Elle rit de nouveau, sur le même ton. Et sur le même ton Guido insiste :

GUIDO. – Pourquoi tu ris ?
LUISA. – Je crois que je ne pourrais pas te tromper, ne serait-ce que parce que c'est ridicule d'être toujours anxieux, de se cacher, de mentir. Ridicule et pénible : mais peut-être que pour toi c'est facile.

GUIDO. – Ma che cosa ho fatto? Senti Luisa, ho sonno, non mi rompere le scatole con queste storie…

E si volta dall'altra parte mentre Luisa ribatte :

LUISA. – E dormi. Buona notte.

Ma subito Guido torna a voltarsi di scatto verso di lei, riprendendo :

GUIDO. – Che cosa ho fatto? No, mi devi dire che cosa ho fatto…
LUISA. – Lo sai benissimo. Io vorrei proprio sapere se tutti gli uomini sono come te, ma non credo…
GUIDO. – Siamo stati insieme tutta la sera, non ho fatto niente, non ho detto niente… Qualunque cosa io faccia o dica, per te è sempre inteso che ti tradisco…

Luisa ride di nuovo, ancora più amara e aspra.

LUISA. – Se tu potessi vederti !…

GUIDO. – Mais qu'est-ce que j'ai fait ? Écoute-moi, Luisa, j'ai sommeil, ne me casse pas les pieds avec ces histoires…

Et il se tourne de l'autre côté tandis que Luisa réplique :

LUISA. – Dors alors. Bonne nuit.

Mais aussitôt Guido se retourne d'un bond vers elle, en reprenant :

GUIDO. – Qu'est-ce que j'ai fait ? Tu dois me dire ce que j'ai fait…
LUISA. – Tu le sais très bien. J'aimerais vraiment savoir si tous les hommes sont comme toi, mais je ne crois pas…
GUIDO. – Nous sommes restés ensemble toute la soirée, je n'ai rien fait, je n'ai rien dit… Quoi que je fasse ou quoi que je dise, pour toi il est toujours sous-entendu que je te trompe…

Luisa rit à nouveau, encore plus amère et dure.

LUISA. – Si tu pouvais te voir !…

Caffè. Interno. Giorno.

442-455

Guido sta seduto ad un tavolino di un caffè gremito di gente, con Luisa.
Sono entrambi molto alterati in viso, dolorosamente, parlano a mezza voce, ma con una tensione anche maggiore, esasperata. L'orchestrina suona un valzer.

GUIDO. – Allora dimmi tu, una volta per tutte, cosa dovrei fare per metterti tranquilla? Come dovrei essere secondo te? Dimmelo.
LUISA. – Uno che non giura il falso dieci volte al giorno, tutti i momenti. Basterebbe questo. Quello che fai, è il meno : è non sapere mai, mai una volta, la verità. Neanche nelle cose più piccole : neanche quando non ti costerebbe niente dirla. Ma tu menti come respiri, non si sa mai che cosa hai in testa, che cosa prepari, chi sei, menti perfino quando dici la verità. Come si fa a vivere con uno come te? Si diventa matti !

Lo sguardo di Luisa si è diretto, duro e disperato, verso un tavolino più lontano, cui sta seduta Carla, tranquilla come sempre, appena lievemente turbata dalla presenza di Luisa e dal tono della discussione, che si indovina a distanza. Mangia con calma e golosità un grosso gelato, guardando ostinatamente altrove.

Café. Intérieur. Jour.

442-455

Guido est assis avec Luisa à la table d'un café plein de monde.
Leurs visages sont très tendus, douloureusement, ils parlent à mi-voix, mais avec une tension encore plus grande, exaspérée. L'orchestre joue une valse.

GUIDO. – Alors, dis-le-moi toi, une fois pour toutes, qu'est-ce que je dois faire pour que tu sois tranquille ? Comment je devrais être, à ton avis ? Dis-le-moi.
LUISA. – Quelqu'un qui ne dirait plus de mensonges dix fois par jour, à chaque instant. Ça suffirait déjà. Ce que tu fais, c'est facile : c'est ne jamais savoir dire, jamais une fois, la vérité. Pas même dans les petites choses : pas même lorsqu'il ne t'en coûterait rien de la dire. Mais tu mens comme tu respires, on ne sait jamais ce qui te passe par la tête, ce que tu prépares, qui tu es, tu mens même quand tu dis la vérité. Comment peut-on vivre avec quelqu'un comme toi ? Il y a de quoi devenir folle !

Le regard de Luisa s'est dirigé, désespéré et dur, vers une table, plus loin, à laquelle est assise Carla, tranquille comme toujours, juste un peu troublée par la présence de Luisa et par le ton de la discussion que l'on devine à distance. Elle mange calmement et avec gourmandise une grosse glace, en regardant obstinément ailleurs.

GUIDO. – Io non sapevo nemmeno che fosse qua. Ti giuro che l'ho vista adesso… Con tutta la gente che c'è. Non può esserci anche lei ? Posso proibirglielo ? Cosa c'entro io ?
LUISA. – Guardala là, mi hai giurato su tua madre che era tutto finito, guardala là, quella puttana, eccola di nuovo lì, l'ho incontrata subito, ieri, appena sono arrivata. Ma perché allora mi hai telefonato di venire qui ? Cosa vuoi da me ? Perché non mi lasci stare ?
GUIDO. – Non lo sapevo che c'era. Non lo sapevo, va bene ? È inutile che te lo giuri, perché tanto, per te, io giuro sempre il falso, ma non lo sapevo. Che c'è di male se quella disgraziata sta seduta lì ? È per questo, che mi stai tormentando da ieri seri ? Potevi dirmelo subito, no ? Che male fa, disgraziata ?

Luisa è strozzata dall'angoscia e dalla disperazione.

LUISA. – È questo che mi fa diventare matta ! Che tu parli come se dicessi la verità, come un uomo onesto ; e invece no, so benissimo che menti, che non sei onesto. Sei un mascalzone ! L'onestà non vuol dir niente per te, come se le persone oneste non esistessero…

Guido guarda fissamente sua moglie mentre questa parla, tanto fissamente che finisce per non sentire più

GUIDO. – Je ne savais même pas qu'elle était là. Je te jure que je viens de la voir… Avec tous les gens qu'il y a, elle ne peut pas être là, elle aussi ? Comment pourrais-je le lui interdire ? En quoi y suis-je pour quelque chose ?
LUISA. – Regarde-la, là-bas, tu m'as juré sur ta mère que tout était fini. Regarde-la, là-bas, cette putain, la voilà encore, je l'ai rencontrée tout de suite, hier, dès mon arrivée. Mais pourquoi alors m'as-tu téléphoné de venir te rejoindre ? Qu'est-ce que tu veux de moi ? Pourquoi tu ne me laisses pas tranquille ?
GUIDO. – Je ne savais pas qu'elle était là. Je ne le savais pas, c'est clair ? Il est inutile que je te le jure, parce que pour toi, je ne fais que dire des mensonges ; mais je ne le savais pas. Qu'y a-t-il de mal si cette pauvre fille est assise là ? C'est pour ça que tu me tourmentes depuis hier soir ? Tu aurais pu me le dire tout de suite, non ? Qu'y a-t-il de mal, ma pauvre amie ?

Luisa a la voix étranglée par l'angoisse et le désespoir.

LUISA. – C'est ça qui me rend folle ! Tu parles comme si tu disais la vérité, comme un homme honnête ; en fait, c'est faux, je sais très bien que tu mens, que tu n'es pas honnête. Tu es un salaud ! L'honnêteté ne veut rien dire pour toi, comme si les gens honnêtes n'existaient pas…

Guido regarde fixement sa femme, tandis qu'elle parle, si fixement, qu'il finit par ne plus entendre les

le parole che essa continua a pronunciare. La voce di lei sembra confondersi con la musica dell'orchestrina, tanto da esserne sopraffatta. Guido volge ancora una volta lo sguardo verso Carla, che seguita a mangiare adagio il suo gelato con gli occhi altrove, poi lo riporta su Luisa...
Ed ora l'atteggiamento di Luisa appare del tutto mutato; tranquilla e sorridente dice alcune frasi che Guido non afferra ancora, ma che finiscono poi per precisarsi, uscendo dal confuso suono dell'orchestrina.

LUISA. – Non vedi che è tutta sola, poverina? Perché non le dici di sedersi qui con noi?

E nello stesso tempo, Luisa indirizza un saluto e un cenno di sorridente invito a Carla, che a sua volta si è girata a guardare sorridendo la tavola dove siedono Guido e sua moglie. Poiché Luisa ripete il cenno, Carla si alza, fa qualche passo, torna indietro, e col piattino in mano si avvicina al tavolo di Guido. Luisa si alza, con cordiale festosità.

LUISA. – Venga qui, s'accomodi. Come sta, signora? È qui anche lei, per la cura?

mots qu'elle continue à prononcer. La voix de Luisa semble se confondre avec la musique du petit orchestre au point d'être dominée par celle-ci. Guido regarde encore une fois dans la direction de Carla qui continue à manger lentement sa glace, les yeux tournés ailleurs, puis il regarde de nouveau Luisa… A présent, l'attitude de Luisa semble avoir complètement changé ; tranquille et souriante, elle dit quelques phrases que Guido ne saisit pas encore, mais qui finissent ensuite par se préciser, en se distinguant des sonorités confuses de l'orchestre.

LUISA. – Tu ne vois pas qu'elle est toute seule, la pauvre ? Pourquoi tu ne lui dis pas de s'asseoir ici avec nous ?

Et, en même temps, Luisa adresse un salut, un sourire et un signe d'invitation à Carla qui, à son tour, s'est tournée pour regarder souriante la table où sont assis Guido et sa femme. Comme Luisa répète son signe, Carla se lève, fait quelques pas, revient en arrière pour reprendre la glace qu'elle n'a pas encore achevée et, l'assiette à la main, elle s'approche de la table de Guido.
Luisa se lève avec une cordialité joyeuse.

LUISA. – Venez là, Madame… Asseyez-vous. Comment allez-vous ? Vous êtes ici, vous aussi, pour la cure ?

Carla sorride, indicando Guido.

CARLA. – Oh no ! Sono venuta perché c'era lui... Sono qui da una settimana... E lei, come sta ? La trovo benissimo... Lei è arrivata ieri sera, vero ? Ma sì, me l'ha detto suo marito... Mi parla sempre tanto di lei...
LUISA. – Carino, qui, no ?... Si trova bene, signora ?
CARLA. – Sa cosa trovo ? Che in fondo c'è meno eleganza di quello che... pensavo. Io mi ero portata... non tanto... ma insomma qualche toeletta, e invece... è inutile...
LUISA. – Ma è molto elegante questo « imprimé ».
CARLA. – Non me ne parli !... Avevo visto una cosa un po' così su *Vogue*. Quanto ho dovuto girare per trovarlo !... Ero proprio disperata... Ma, sa, quando Carla si mette una cosa in testa...

Mentre le due donne parlano con festosa animazione, come due vecchie amiche, Guido, con un beato sorriso sulle labbra, le guarda e ascolta astraendosi sempre di più... Ora le voci tornano a confondersi, a svanire...

Carla sourit en indiquant Guido.

CARLA. – Oh non ! Je suis venue parce qu'il était là… Je suis ici depuis une semaine… Et vous, comment allez-vous ? Je vous trouve très bien… Vous êtes arrivée hier soir, n'est-ce pas ? Mais oui, c'est votre mari qui me l'a dit… Il me parle toujours tellement de vous…

LUISA. – C'est charmant ici, n'est-ce pas ?… Vous vous y plaisez, Madame ?

CARLA. – Savez-vous ce que je trouve ? Au fond, c'est moins élégant que ce que je pensais… J'avais emporté… pas trop… mais oui, quelques toilettes… et à vrai dire… c'est inutile…

LUISA. – Mais cet imprimé est très élégant.

CARLA. – Ne m'en parlez pas !… J'avais vu quelque chose qui ressemblait à ça dans *Vogue*. Ce que j'ai dû chercher avant de le trouver !… J'étais vraiment désespérée… Mais, vous savez, lorsque Carla se met quelque chose en tête !…

Pendant que les deux femmes parlent avec une animation joyeuse, comme deux vieilles amies, Guido, avec un sourire béat aux lèvres, les regarde et écoute de plus en plus absent… Leurs voix recommencent à se confondre, à s'évanouir…

Fattoria fiamminga. Esterno. Giorno.

456-458

Una grande casa di campagna simile a quelle dei quadri fiamminghi, appare alla fantasia di Guido. È una costruzione vasta, accogliente, suggestiva, con molti camini dai quali esce il fumo ; e la neve che la circonda e ne copre il tetto la rende più desiderabile e invitante.
Guido vi giunge su una slitta trascinata da due cavalli : è impellicciato e tiene in mano una lunga frusta.
Lascia la slitta, ne toglie infiniti pacchi grandi e piccoli, legati con nastri multicolori ; e con le braccia così cariche si dirige verso la porta d'ingresso.
Dall'interno giunge un canto di donna.

Fattoria fiamminga. Interno. Giorno.

Guido entra e si trova in una vastissima cucina, irreale e suggestiva come una scenografia secentesca, di interno : il soffitto è altissimo, sostenuto da enormi travi ; una scala di legno a diverse rampe si snoda in fondo, verso un'arcata di pietra ; una grande fiamma arde nel camino dall'alta cappa.

Ferme flamande. Extérieur. Jour.

456-458

Une grande maison de campagne semblable à celles des tableaux flamands apparaît imaginairement à Guido. C'est une vaste construction, accueillante, suggestive, avec beaucoup de cheminées d'où sort de la fumée ; et la neige qui l'entoure et en recouvre le toit la rend plus désirable et engageante.
Guido y parvient sur une luge traînée par deux chevaux : il porte un manteau de fourrure et tient à la main un long fouet.
Il quitte la luge, en ôte une infinité de paquets petits et grands, tous attachés avec des rubans multicolores et, les bras ainsi chargés, il se dirige vers la porte d'entrée.
De l'intérieur on entend un chant de femme.

Ferme flamande. Intérieur. Jour.

Guido entre et se trouve dans une très vaste cuisine, irréelle et suggestive, comme un décor d'intérieur du XVIIe siècle : le plafond, très haut, est soutenu par d'énormes poutres ; dans le fond, un escalier de bois à plusieurs paliers s'élève vers une arcade en pierre ; un grand feu brûle dans la cheminée à la vaste hotte.

Non vi sono che donne, sei, sette, giovani donne, in un'atmosfera di garrula festosità, tutta fatta di risatine, scherzi e canti. Una sta davanti al camino, intenta a cucinare, ha un graziosissimo grembiule su un due pezzi, cosicché, quando volge le spalle rivela schiena, fianchi e gambe. Un'altra in un elegante pagliaccietto da notte, tutto pizzi e trasparenze, sta apparecchiando la lunga tavola di legno scuro.
Una ragazza, chiusa in una fodera di maglia nera sta facendo esercizi acrobatici su un trapezio pendente dal soffitto. Una ballerina giovanissima, in « tutù », piroetta sulla punta dei piedi e lancia le gambe tese fino all'altezza del corpo.
Un'altra ancora, in un elegantissimo abito da sera, sta seduta in una poltrona, mollemente.
Da una porta girevole esce una ragazza vestita come una contadinetta, recando un paniere colmo di frutta.
Su una pedana, rialzata, quasi al centro della stanza, c'è Luisa.
È vestita da passeggio, molto elegante, con una sfumatura di ricordo ottocentesco. È seduta davanti ad un arcolaio e fila, mentre un'altra elegante signora, seduta un po' più in basso, ricama al telaio.
Guido, entrando con le braccia colme di pacchi, si sofferma qualche istante a guardare, poi lancia un festoso richiamo :

GUIDO. – Buongiorno, care !... Eccomi qua !...

Il n'y a que des femmes, six, sept jeunes femmes, dans une atmosphère de fête babillarde où se mêlent petits rires, plaisanteries et chants. L'une d'entre elles se trouve devant la cheminée et s'occupe de la cuisine, elle a un très joli petit tablier au-dessus d'un bikini, si bien que, lorsqu'elle tourne le dos, elle laisse voir son dos, ses hanches et ses jambes. Une autre, dans une élégante tenue de nuit, tout en dentelles et transparente, dresse une longue table de bois foncé.

Une jeune fille, enfermée dans une combinaison en laine noire, fait des exercices acrobatiques sur un trapèze qui pend du plafond. Une très jeune danseuse, en tutu, fait des pirouettes sur la pointe des pieds et lance ses jambes tendues aussi haut que son corps. Une autre encore, dans une robe du soir extrêmement élégante, est nonchalamment assise dans un fauteuil. D'une porte tournante sort une jeune fille habillée comme une paysanne, qui porte un panier plein de fruits. Sur une estrade surélevée, presque au centre de la pièce, il y a Luisa.

Elle porte une robe de promenade, très élégante, avec une allure qui rappelle le XIXe *siècle. Elle est assise devant un rouet et elle file, tandis qu'une autre dame élégante, assise un peu plus bas, brode sur son métier.*

Guido, entrant les bras chargés de paquets, s'arrête pour regarder quelques instants, puis lance un appel joyeux :

GUIDO. – Bonjour, mes chéries !… Me voilà !…

Luisa si alza festosamente e richiama l'attenzione di tutte le altre donne con il tono materno e allegro di una maestra tra le scolarette.

LUISA. – È arrivato, ragazze !... C'è Guido !...

Poi gli viene incontro ad abbracciarlo ; mentre tutte le altre, con risatine ed esclamazioni festose, gli si affollano intorno, dandogli ciascuna un bacetto. Guido le saluta ad una ad una, distribuendo regali, come a bambine.

GUIDO. – Ciao, Luisa !... Ciao, Claretta ! Questo è per te... No, l'altro. Questo è per Adriana... Ciao, Adriana... Françoise, il tuo è questo... Un momento... C'è scritto sopra il nome... Guarda un po'. Sì, Maresa... per te... Ciao, Rita... Dov'è Carla ? No, questo è per Luisa...

Le donne ricevono ciascuna il proprio regalo, e svolgono i pacchi, con gridolini ed esclamazioni di gioia festosa.

DONNE. – Splendido !... O amore mio !... Proprio il colore del mio tailleur !... Grazie tesoro !... Cosa hai tu ?... Fammi vedere... Guarda, io !... Che amore !... No, questo è mio !... E a me ?... Caro tesoro !... Gioia bella mia !...

Luisa se lève gaiement et appelle l'attention de toutes les autres femmes avec le ton maternel et joyeux d'une maîtresse au milieu de ses écolières.

LUISA. – Il est arrivé, les filles !… Guido est là !…

Puis elle se porte à sa rencontre pour l'embrasser ; tandis que toutes les autres, avec des petits rire et des exclamations joyeuses, se pressent autour de lui, chacune en lui donnant un petit baiser. Guido les embrasse l'une après l'autre, en leur distribuant des cadeaux, comme à des petites filles.

GUIDO. – Ciao, Luisa !… Ciao, Claretta ! Ça c'est pour toi… Non, l'autre. Ceci, c'est pour Adriana… Ciao, Adriana… Françoise, voilà le tien… Un moment… Le nom est écrit dessus… Regarde bien. Oui, Maresa… c'est pour toi… Ciao, Rita… Où est Carla ?… Non, ça c'est pour Luisa…

Les femmes reçoivent chacune leur cadeau, et défont les paquets, avec des petits cris et des exclamations de joie et d'enthousiasme.

LES FEMMES. – Quelle splendeur !… O mon amour !… Exactement la couleur de mon tailleur !… Merci, mon trésor !… Qu'est-ce que tu as eu, toi ?… Fais-moi voir… Regarde, moi !… Que c'est joli !… Non, ça c'est à moi !… Et pour moi ?… Mon chéri, mon cher trésor !… O mon amour !…

Intanto, all'improvviso, appare e si avvicina quasi di corsa, festosa, con tutti i suoi bambini per mano anche Anna. Guido l'accoglie, con l'intera famiglia, con altri abbracci condiscendenti e affettuosi, e con altra distribuzione di doni.

GUIDO. – Ciao, Anna!... Qui, venite qui... Su bambine, questo è per voi... Ma Carla, dov'è?

E in così dire apre una porta, donde esce un canto di donna.
Al centro della stanza, che appare ricca, ampia, tutta tende e tappeti, c'è un lettone a quattro piazze, con baldacchino e sul letto, vestita di piume bianche, come un gran cigno, c'è Carla che canta e lecca un gelato. Guido la saluta.

GUIDO. – Ehi, Carla!...

Luisa la chiama in tono allegro e festoso.

LUISA. – Su presto, Carla!... Non vedi che c'è Guido?

Carla scende dal letto e viene verso la cucina, tutta ondeggiante di piume.

CARLA. – Ciao, tesoro!...

Puis, soudain, Anna, elle aussi, apparaît et elle s'approche, presque en courant joyeusement et tenant par la main tous ses enfants. Guido l'accueille, elle et toute sa famille, avec d'autres embrassades condescendantes et affectueuses, et d'autres distributions de cadeaux.

GUIDO. – Ciao, Anna !… Par ici, venez voir… Allez, mes mignonnes, ça c'est pour vous… Mais Carla, où est-elle ?…

Et ce disant, il ouvre une porte, d'où vient un chant de femme. Au centre de la chambre, qui apparaît riche, large, pleine de rideaux et de tapis, il y a un grand lit à quatre places, avec un baldaquin, et sur le lit, habillée de plumes blanches, comme un grand cygne, Carla chante et lèche une glace. Guido la salue.

GUIDO. – Hé ! Carla !…

Luisa l'appelle sur un ton joyeux et plein d'entrain.

LUISA. – Allez, vite, Carla !… Tu ne vois pas que Guido est là ?

Carla descend du lit et se dirige vers la cuisine, toute ondoyante de plumes.

CARLA. – Ciao, mon trésor !…

Intanto Luisa sta togliendo la pelliccia a Guido, aiutata da altre due donne ; e Guido le cinge affettuosamente la vita, porgendole un grosso pacco, l'ultimo.

GUIDO. – E questo, per te ! Il più grosso… per la mia mogliettina…

Luisa commossa e felice lo abbraccia.

LUISA. – Oh ! Guido ! Quanto sei buono !…

Guido chiede :

GUIDO. – Tutto bene ?… Tutto a posto ?…

Una delle donne, Maresa, gli si avvicina premurosa, porgendogli dei fogli.

MARESA. – Ecco… Ho copiato tutto !… Quanto mi è piaciuto…
LUISA. – Ah, sì, davvero, Guido… Non hai mai scritto niente di più bello !…

Intorno si leva un coro di voci approvanti, con entusiasmo.

DONNE. – È magnifico !… È magnifico !…

Entre-temps Luisa ôte à Guido son manteau de fourrure, aidée par deux autres femmes ; Guido la prend affectueusement par la taille et lui offre un gros paquet, le dernier.

GUIDO. – Et voilà pour toi ! Le plus gros… pour ma petite femme…

Luisa, émue et heureuse, l'embrasse.

LUISA. – Oh ! Guido ! Comme tu es gentil !…

Guido demande :

GUIDO. – Tout se passe bien ?… Tout est normal ?…

Une des femmes, Maresa, s'approche de lui empressée, en lui tendant des feuilles.

MARESA. – Voilà… J'ai tout recopié !… Ça m'a beaucoup plu…
LUISA. – Ah oui, vraiment, Guido… Tu n'as jamais rien écrit de plus beau !…

Tout autour s'élève un chœur de femmes qui approuvent, avec enthousiasme.

LES FEMMES. – C'est magnifique !… C'est magnifique !…

Guido si è intanto diretto verso la porta del bagno, aprendola con condiscendenza :

GUIDO. – Ma no, ma no… Insomma, così…

Appena apre la porta, si ferma, stupito piacevolmente… perché ritta in piedi nella vasca da bagno, con l'acqua fino ai polpacci come fosse sulla riva del mare, c'è una splendida ragazza orientale, col sottanino e la collana di fiori sul nudo corpo dorato.

GUIDO. – E questa, chi è ?
LUISA. – Una nuova. L'ho portata a casa stamattina. Vero, che è carina ? Ho subito pensato che ti sarebbe piaciuta…

Poi, volta alla ragazza, dice in tono di affettuosa didascalia :

LUISA. – Questo è Guido…

Guido si avvicina alla ragazza, che sorride dolcemente, e le chiede, accarezzandole il volto :

GUIDO. – Come ti chiami ?…

La ragazza risponde, con un dolcissimo sorriso e una pronuncia esotica :

Guido, entre-temps, s'est dirigé vers la porte de la salle de bains, l'ouvre en disant avec complaisance :

GUIDO. – Mais non, mais non… Mais quoi, comme ça…

Dès qu'il ouvre la porte, il s'arrête, agréablement surpris… parce que, debout dans la baignoire, avec de l'eau jusqu'aux mollets comme si elle se trouvait au bord de la mer, il y a une splendide fille orientale, avec un jupon et un collier de fleurs sur son corps nu et doré.

GUIDO. – Et celle-ci, qui c'est ?
LUISA. – Une nouvelle. Je l'ai emmenée à la maison ce matin. N'est-ce pas qu'elle est jolie ? J'ai tout de suite pensé qu'elle te plairait…

Puis, s'adressant à la fille, elle dit sur un ton affectueux pour l'informer :

LUISA. – Voilà Guido…

Guido s'approche de la fille qui sourit doucement et lui demande, en lui caressant le visage :

GUIDO. – Comment tu t'appelles ?

La jeune fille répond avec un sourire très tendre et un accent exotique :

RAGAZZA. – Moana…
LUISA. – Su, un bacino…

Moana si sporge e da un bacetto a Guido, che glielo ricambia ; poi Guido incomincia a lavarsi le mani, attorniato e servito da tre o quattro donne, compresa Moana, uscita dalla vasca. Una gli porge il sapone, l'altra lo spazzolino, l'altra l'asciugamano, l'altra gli asciuga le mani. Intanto parlano.

LUISA. – Però, Guido, con la Kiki, non va niente bene…

Le altre fanno coro.

DONNE. – No, no… Niente bene… Niente bene…
GUIDO. – Giusto. Dov'è la Kiki, che non l'ho vista ?
LUISA. – Lo credo, che non l'hai vista. L'ho messa in castigo… È inutile, è tedesca, quella lì… Risponde male, non ha rispetto…
DONNE. – Non ha rispetto… Risponde sempre male…

Guido continua ad asciugarsi le mani, si dirige verso un usciolino, seguito e accompagnato da Luisa e dalle altre donne.

LUISA. – Io, sai, porto pazienza, ma oltre un certo limite, no !… Devi dirglielo tu… Perché è gelosa…

LA JEUNE FILLE. – Moana…
LUISA. – Allons, un petit baiser…

Moana se penche et donne une baiser à Guido qui le lui retourne ; ensuite Guido commence à se laver les mains, entouré et servi par trois ou quatre femmes, y compris Moana, sortie de la baignoire. L'une lui tend le savon, une autre la brosse, une autre encore une serviette, une autre lui essuie les mains. Pendant ce temps, ils parlent…

LUISA. – Tu sais, Guido, avec Kiki, ça se passe mal…

Les autres reprennent en chœur.

LES FEMMES. – Oui, oui… Très très mal… Très très mal…
GUIDO. – Bon. Où est Kiki, je ne l'ai pas vue ?
LUISA. – Je pense bien que tu ne l'a pas vue. Je l'ai punie… C'est inutile, c'est une Allemande… Elle répond mal, elle n'a aucun respect…
LES FEMMES. – Elle n'a aucun respect… Elle répond toujours mal…

Guido continue à essuyer ses mains, puis se dirige vers une toute petite porte, suivi et accompagné de Luisa et des autres femmes.

LUISA. – Moi, tu le sais, je suis patiente, mais au-delà d'une certaine limite, non !… Tu dois le lui dire, toi… Parce qu'elle est jalouse…

DONNE. – Sì, sì, è gelosa!...
LUISA. – Se non la smette, bisogna mandarla via... e mi spiacerebbe proprio...

Guido, facendo cenni come per dire « adesso ci penso io, lasciate fare a me », e sempre ancora asciugandosi le mani, apre l'usciolino ed entra.
Nell'interno di uno sgabuzzino, appollaiata su una scaletta di legno a triangolo, c'è la Kiki : una « soubrette » tutta vestita di lustrini, con un pennacchio colorato in testa, le gambe nude uscenti dallo altissimo spacco. Se ne sta inbronciata, col viso appoggiato sul pugno.

GUIDO. – Allora, Kiki?... Che succede?

La Kiki scuote le spalle e non risponde, sempre più imbronciata e sul punto di piangere, come una grossa bambina.

GUIDO. – Eh, no, eh, no! Kiki... Non va, non va... Perché rispondi male a Luisa?... Si lamentano tutte sai... Non sta mica bene, essere così gelosa... Lo sai che amo anche te... no?... Tu sarai sempre la prima « soubrette » della mia vita...

Piagnucolando, e con un misto di italiano, francese e tedesco, Kiki risponde querula e aggressiva.

LES FEMMES. – Oui, elle est jalouse !…
LUISA. – Si elle n'arrête pas, il va falloir la renvoyer… et, vraiment, ça ne me ferait pas plaisir…

Guido fait des signes comme pour dire « je vais m'en occuper, laissez-moi faire », puis, toujours en s'essuyant les mains, ouvre la petite porte et entre.
A l'intérieur d'un cagibi, perchée sur un petit escabeau en bois, il y a Kiki : une danseuse de variétés tout habillée de paillettes, avec une aigrette de couleur sur la tête, ses jambes nues sortent de l'échancrure très haute. Elle boude, le visage appuyé sur son poing.

GUIDO. – Alors, ma Kiki ?… Qu'est-ce qu'il se passe ?

Kiki hausse les épaules et ne répond pas, toujours plus boudeuse et sur le point de pleurer, comme une grande enfant.

GUIDO. – Eh non, eh non ! Kiki… Ça ne va pas, ça ne va pas… Pourquoi réponds-tu mal à Luisa ?… Elles se plaignent toutes, tu sais… Ce n'est pas bien d'être si jalouse… Tu sais bien que je t'aime toi aussi… n'est-ce pas ?… Tu seras toujours la première danseuse de variétés de ma vie…

En pleurnichant, et en mélangeant l'italien, le français et l'allemand, Kiki répond plaintive et agressive :

KIKI. – Non ho fatto niente, meine liebe… C'est ma voix qui est comme ça… Io parlo così… la mia voce dice cose que je ne pense pas… Luisa è cattiva con me… Ioh… ioh… io non sono gelosa… E poi, merde, posso anche andarmene se non mi vogliono…

Severo e affettuoso, Guido riprende :

GUIDO. – Basta, su !… Basta !… Avanti, a tavola !… Vieni giù di lì, che la minestra è pronta… Vieni a darmi un bacetto… e uno a Luisa…

La Kiki, con un improvviso sorriso tra le lacrime, si rizza in piedi sulla scala, alza le braccia come per la scena finale di una rivista, ed esclama, con voce cantante :

KIKI. – Meine liebe !… Amor mio !…

Poi, mentre giunge, chissà di dove, una musica da finale di rivista, che ripete il ritornello della canzone, la Kiki incomincia a scendere gli scalini della scaletta, cantando.

KIKI. – Miene liebe !… Meine liebe !…

KIKI. – Non ho fatto niente, meine liebe… C'est ma voix qui est comme ça… Io parlo così… la mia voce dice cose que je ne pense pas… Luisa è cattiva con me… Ioh… Ioh… io non sono più gelosa… Et poi, merde, posso m'en aller si elles ne veulent pas de moi[1]…

Sévère et affectueux, Guido reprend :

GUIDO. – Allez, ça suffit !… Ça suffit !… Allez, à table !… Descends de là, la soupe est prête… Viens me faire un baiser… un à moi et un à Luisa…

Kiki, avec un sourire soudain parmi ses larmes, se met debout sur l'escabeau, lève les bras comme pour le final d'un spectacle de variétés, et s'exclame avec une voix chantante :

KIKI. – Meine liebe !… Mon amour !…

Puis, tandis qu'une musique de final de revue de variétés arrive d'on ne sait où et répète le motif de la chanson, Kiki commence à descendre les marches de l'escabeau en chantant.

KIKI. – Meine liebe !… Meine liebe !…

1. « Je n'ai rien fait… Je parle comme ça… ma voix dit des choses… Luisa est méchante avec moi… Je… Je… je ne suis plus jalouse… Et puis,… je peux… » [NdT].

Guido è rientrato in cucina, dicendo allegramente :

GUIDO. – Su, a tavola, a tavola !...

Tutte le donne, festosamente, tra risate e voci allegre, prendono posto intorno a una lunghissima tavola ; una grossa donna anziana, in cui Guido riconosce la Saraghina ripulita e vestita da cuoca, porta un enorme pentolone di minestra ; Guido siede tra Luisa e Carla.
Ora tutti i piatti sono pieni di minestra fumante ; Guido prima di incominciare a mangiare, si raccoglie un momento in silenzio. Tutte le donne tacciono, aspettando. Col tono di certi personaggi da film americani, compunto e commosso Guido dice :

GUIDO. – Grazie a tutte quante... Sì, la felicità consiste nel poter dire la verità senza far soffrire nessuno... Buon appetito.

Un coro di voci allegre gli risponde. Tutti incominciano a mangiare, ma rapidamente il rumore del brodo sorbito da tante bocche si accentua, si fa animalesco, intollerabile. Un senso di disagio si impadronisce di Guido, come se qualcosa di minaccioso gli si preparasse intorno, e infatti all'improvviso, in fondo alla tavola scoppia un litigio tra due donne : un litigio simile alla zuffa di due gatte. Le due donne si insultano, si graffiano, strillano.

Guido est rentré dans la cuisine, en disant gaiement :

GUIDO. – Allez, à table, à table !…

Toutes les femmes, gaiement, au milieu des rires et des voix joyeuses, prennent place autour d'une très longue table ; une grosse femme d'un certain âge, dans laquelle Guido reconnaît la Saraghina bien propre et habillée en cuisinière, apporte une énorme casserole de soupe. Guido est assis entre Luisa et Carla.
Les assiettes sont maintenant pleines de soupe fumante ; avant de commencer à manger, Guido se recueille un moment en silence. Toutes les femmes se taisent, en attente. Avec le ton contrit et ému propre à certains personnages de films américains, Guido dit :

GUIDO. – Merci à vous toutes… Oui, le bonheur consiste dans la possibilité de dire la vérité sans faire souffrir personne… Bon appétit.

Un chœur de voix joyeuses lui répond. Tout le monde commence à manger, mais rapidement le bruit du bouillon avalé par tant de bouches s'accentue, devient animal, choquant, intolérable. Un sentiment de gêne s'empare de Guido, comme si quelque chose de menaçant se préparait autour de lui, et, en effet, brusquement, au bout de la table éclate une dispute entre deux femmes : une dispute semblable à une bataille entre deux chattes. Les deux femmes s'insultent, se griffent, crient.

LE DUE DONNE. – Cretina !… Bestia !… È mio !… Ahi !… Puttana !… Ahi, ahi !…

Guido fa un urlaccio battendo un pugno sul tavolo.

GUIDO. – Ehi !… Perdio !…

Per un momento, tutto tace, in un silenzio gravido di tempesta : si sentono, intorno a Guido soffi soffocati, quasi sibilanti ; tutte le donne ora guardano verso di lui torve, con occhi torti, minacciosi, come quelli di belve pronte a lanciarsi. Guido si alza lentamente in piedi, lentamente fa qualche passo indietro, tenendo le donne sotto il dominio del suo sguardo, come un domatore con le belve…

Gabbione circo. Interno. Notte.

511-531

Ed ecco Guido, vestito col giubbotto ad alamari, i calzoni attillati e gli stivali, al centro di un grande gabbione di ferro, eretto in un circo equestre. I riflettori convergono su di lui, lasciando nel buio fitto tutto il pubblico, il cui greve ansimare si indovina nell'ombra. Guido ha in mano una lunga frusta e un

LES DEUX FEMMES. – Sotte !... Idiote !... Il est à moi !... Aïe !... Putain !... Aïe, aïe !...

Guido lance un hurlement en tapant du poing sur la table.

GUIDO. – Eh !... Nom de Dieu !...

Pendant un instant, rien ne bouge, dans un silence lourd d'orage : on entend, autour de Guido, des souffles qui suffoquent, sifflant presque ; toutes les femmes regardent maintenant vers lui, farouches, avec des regards mauvais, menaçants, comme ceux des fauves prêts à s'élancer. Guido se lève lentement, fait lentement quelques pas en arrière, en tenant les femmes sous la domination de son regard, comme un dompteur avec ses fauves...

Grande cage cirque. Intérieur. Nuit.

511-531

Guido est habillé d'une veste à brandebourgs, avec des pantalons collants et des bottes, au centre d'une très grande cage de fer, dressée dans un cirque. Les projecteurs convergent sur lui, laissant dans une obscurité épaisse tout le public, dont on devine, dans l'ombre, le lourd halètement. Guido a un long fouet et

bastone, coi quali tiene a distanza le donne trasformate in tigri, e fa loro eseguire il salto del cerchio. Intorno a lui, è tutto un soffiare minaccioso, carico di odio e di desiderio di vendetta ; le donne-tigri gli si avventano, qualcuna riesce ad afferrargli un polpaccio coi denti e a strappargli gli alamari con un'unghiata ; Guido si difende a colpi di frusta, piroettando, avanzando, retrocedendo, spingendo le belve verso il cunicolo che porta alle gabbie esterne.

GUIDO. – Hop la !... Hop !... Hop !... Carla !... Hop, hop ! Kiki !... Hop là !... Maresa !... Hop là !...

A poco a poco, le donne-tigri infilano, ruggendo e soffiando, rivoltandosi fino all'ultimo con minacciose zampate, lo stretto cunicolo. Le ultime due, che sono Carla e la Saraghina, entrambe molto forti di anche, vi si infilano quasi contemporaneamente, e rimangono per qualche istante incastrate a vicenda, spingendo e soffiando senza riuscire a svincolarsi. Finalmente, incoraggiate da alcuni colpi di frusta, si divincolano e, una appresso all'altra, spariscono nel cunicolo.
Si sente uno scrosciare interno di applausi e il suono rintronante della marcia della fanfara. Guido si inchina, ansimante e mal conciato, mentre tutto piomba nel buio...

un bâton à la main, avec lesquels il tient à distance les femmes transformées en tigresses, et il leur fait exécuter le saut dans le cercle.
Autour de lui, tout est souffles menaçants, chargés de haine et de désir de vengeance ; les femmes-tigresses se jettent sur lui, quelques-unes parviennent à lui saisir un mollet avec leurs dents et à lui arracher ses brandebourgs d'un coup de griffe ; Guido se défend à coups de fouet, en pirouettant, avançant, reculant, poussant les fauves vers le boyau qui conduit aux cages extérieures.

GUIDO. – Hop là !… Hop !… Hop !… Carla !… Hop, hop ! Kiki !… Hop là !… Maresa !… Hop là !…

Petit à petit, en rugissant et soufflant, les femmes-tigresses, en se retournant jusqu'au bout avec des coups de pattes menaçants, s'engagent dans l'étroit boyau. Les deux dernières, qui sont Carla et la Saraghina, toutes les deux aux hanches très fortes, s'y engagent presque en même temps, et restent, pendant quelques instants, presque coincées ensemble, et poussent et soufflent sans parvenir à se dégager. Enfin, encouragées par quelques coups de fouet, elles se libèrent et, l'une après l'autre, disparaissent dans le boyau.
On entend à l'intérieur les applaudissements éclater et le son assourdissant de la marche de la fanfare. Guido s'incline, haletant et mal en point, tandis que tout plonge dans l'obscurité…

Cella e corridoio del convento. Interno. Notte.

Penombra e silenzio, ora circondano Guido, in una bianca, spoglia cella di convento. Adagio, Guido si fa sulla porta, e dice con voce pacata, dolce, serena :

GUIDO. – Buona notte, care. Buona notte a tutte…

Dalle infinite porticine che si aprono sul lunghissimo corridoio, giungono, appena mormorate e molto dolci, le risposte delle donne.

VOCI DONNE. – Buona notte, Guido… Buona notte…
Buona notte…
Buona notte…

Guido fa un vago cenno di saluto verso le porte che vengono intanto chiuse, quasi tutte contemporaneamente. Si ritrae nella sua cella e a sua volta chiude la porta, isolandosi con un senso di enorme, felice sollievo. Si stende sulla branda, incrocia le braccia sul petto ; rimane così, trasognato, con gli occhi fissi nella riposante, serena penombra della cella.
Ma ad un tratto un pianto sommesso gli giunge all'orecchio ; un pianto accorato, straziante…

Cellule et couloir du couvent. Intérieur. Nuit.

La pénombre et le silence entourent à présent Guido dans une cellule de couvent, blanche et dépouillée. Tout doucement, Guido se penche à la porte et dit d'une voix paisible, douce, sereine :

GUIDO. – Bonne nuit, mes chères. Bonne nuit à toutes…

Des petites portes qui s'ouvrent à l'infini sur le très long couloir, parviennent, à peine murmurées et très douces, les réponses des femmes.

VOIX DES FEMMES. – Bonne nuit, Guido… Bonne nuit…
Bonne nuit…
Bonne nuit…

Guido esquisse un vague signe de salutation vers les portes qui se sont entre-temps fermées, presque toutes en même temps. Il se retire dans sa cellule, ferme à son tour la porte et s'isole avec un sentiment d'énorme, d'heureux soulagement. Il s'étend sur sa couchette, croise les bras sur sa poitrine ; il reste ainsi, rêveur, les yeux fixés dans la reposante et sereine pénombre de la cellule.
Mais soudain des sanglots étouffés parviennent à ses oreilles ; des sanglots pleins de chagrin, déchirants…

Guido ascolta, molto turbato; poi si alza, apre la porta, spia nel corridoio.
Il corridoio, quasi buio, sembra interminabile : tutte le porticine sono chiuse, non si vede nessuno. Ma quel pianto accorato giunge di laggiù in fondo.
Con un senso di sgomento e di angoscia crescenti, Guido si avvia adagio nell'ombra del corridoio deserto e lunghissimo...
Cammina seguendo quel pianto... E infine, si arresta accanto ad una specie di assito; guarda oltre, vede Luisa, appoggiata contro il muro, che piange.
Un'espressione di rimorso infinito, di pena struggente si dipinge sul volto di Guido che non osa nemmeno avvicinarlesi. Sempre piangendo sommessamente, accoratamente, Luisa dice :

LUISA. – Perché questa vergogna? Questa mortificazione... Perché, Guido?... Perché mi fai vivere così?... Sono tua moglie io... Tu sei mio marito...

Lacrime amare rigano ora anche il viso di Guido : lacrime di rimorso, di pena, di angoscia... Continua a guardare sua moglie, fieramente...

Guido écoute, très troublé ; puis il se lève, ouvre la porte et guette dans le couloir.
Le couloir, presque sombre, semble interminable : toutes les petites portes sont fermées, on ne voit personne. Mais les sanglots de chagrin viennent de là-bas, tout au fond.
Avec un sentiment de désarroi et d'angoisse grandissant, Guido avance doucement dans l'ombre du couloir désert et très long…
Il marche en suivant les pleurs… Enfin, il s'arrête près d'une sorte de barrière ; il regarde au-delà, voit Luisa qui pleure, appuyée contre le mur.
Une expression de remords infini, de peine déchirante se peint sur le visage de Guido qui n'ose même pas s'approcher d'elle. Toujours en pleurant tout bas, désolée, Luisa dit :

LUISA. – Pourquoi cette honte ?… Cette humiliation… Pourquoi, Guido ?… Pourquoi me fais-tu vivre ainsi ?… Je suis ta femme, moi… Tu es mon mari…

Des larmes amères ruissellent aussi maintenant sur le visage de Guido : des larmes de remords, de peine, d'angoisse… Il continue à regarder sa femme, avec fierté…

Chiesa. Interno. Giorno.

541-546

E sua moglie, ora, più giovane di quindici anni, vestita di bianco, gli è accanto in chiesa, davanti all'altare.
La voce del sacerdote sta dicendo :

SACERDOTE. – Il matrimonio comporta l'obbligo della reciproca fedeltà… Il marito deve provvedere al mantenimento della moglie, le deve protezione, amore e rispetto…

Luisa e Guido si scambiano una occhiata commossa, tenerissima, mentre la voce del sacerdote continua :

SACERDOTE. – Vuoi tu prendere in tua legittima consorte la qui presente…

Guido risponde, molto commosso guardando Luisa :

GUIDO. – Sì…

E mentre la voce del sacerdote si perde e si confonde con un suono d'organo, lo sguardo di Guido rimane fisso sull'immagine di Luisa giovane, commossa, innamorata, fiduciosa, sotto i suoi veli bianchi di sposa…

Église. Intérieur. Jour.

541-546

A présent, sa femme, plus jeune de quinze ans, habillée de blanc, est près de lui, à l'église, devant l'autel.
La voix du prêtre est en train de dire :

LE PRÊTRE. – Le mariage implique l'obligation de la fidélité réciproque… Le mari doit pourvoir à la subsistance de sa femme, il lui doit protection, amour, respect…

Luisa et Guido échangent un regard ému, très tendre, tandis que la voix du prêtre continue :

LE PRÊTRE. – Veux-tu prendre pour épouse légitime…

Guido répond, très ému en regardant Luisa :

GUIDO. – Oui…

Tandis que la voix du prêtre se perd et se confond avec le son des orgues, le regard de Guido reste fixé sur l'image de Luisa jeune, émue, amoureuse, confiante, sous ses voiles blancs de jeune mariée…

Caffè stazione climatica. Interno. Giorno.

547-558

L'orchestrina del caffè sta suonando una mazurka. Guido e Luisa sono seduti uno accanto all'altra, al tavolino. Un silenzio teso grava fra di loro.
Il tavolino cui sedeva Carla è vuoto.
Luisa è molto commossa ; evidentemente la discussione, aspra e amara, è terminata da poco, e ora Luisa ha gli occhi pieni di lacrime, ed evita di guardare Guido. Anche Guido è fortemente turbato ; non dice nulla, un peso angosciato gli grava sul cuore.
In silenzio, Luisa si alza, quasi di scatto, e si avvia verso l'uscita. Guido, dopo una breve esitazione, si alza a sua volta e la segue, più lentamente…

Strade Chianciano. Esterno. Sera.

559-566

Guido passeggia lentamente per le strade del paese. Come tutti i luoghi di cura termale e di villeggiatura anche questo ha la sua strada principale piena di richiamo, di vetrine, di insegne al neon.

Café station climatique. Intérieur. Jour.

547-558

Le petit orchestre du café est en train de jouer une mazurka.
Guido et Luisa sont assis l'un près de l'autre, à la table. Un silence tendu pèse entre eux.
La table où était assise Carla est vide.
Luisa est très émue ; évidemment la discussion, dure et amère, s'est terminée depuis peu de temps ; les yeux de Luisa sont maintenant pleins de larmes et elle évite de regarder Guido. Guido est lui aussi fortement troublé ; il ne dit rien, un poids angoissant pèse sur son cœur.
En silence, Luisa se lève, comme poussée par un ressort, et se dirige vers la sortie. Guido, après une légère hésitation, se lève à son tour et la suit, plus lentement…

Rues de Chianciano. Extérieur. Soir.

559-566

Guido se promène lentement à travers les rues de la ville. Comme tous les lieux de cures thermales et de villégiature, celui-ci aussi a sa rue principale pleine d'attrait, de vitrines, d'enseignes au néon.

Padiglioni con vari negozi e negozietti, un grande acquarium fa da vetrina e dà direttamente nella strada. Vi nuotano delle donne con pinne e respiratore. È la pubblicità di una grande ditta di costumi da bagno americana. Molti giovanotti sono lì fermi a guardare, con le motorette, le biciclette.
Altri negozi nei padiglioni, poi improvvisamente alcuni tiri a segno « Tiro moderno » e « Tiro fotografico » vecchi baracconi di fiera barocchi, pieni di specchietti, palloni, palloncini. Una bionda donna, dai capelli tinti, sui quarantacinque anni, con qualche pretesa di volgare eleganza chiama Guido a tirare. Guido cortesemente fa cenno di no col capo. Altri negozi ancora e un caffè all'aperto, tipo Zanarini a Riccione, con tende e molto affollamento. Subito dopo il caffè un altro negozio di moda maschile, un grande padiglione-magazzino di legno vuoto e disadorno illuminatissimo al neon ; è esposta la bara di vetro del fakiro. Le vetrine sono polverose, attaccati alle vetrine dei grandi manifesti « La grande meraviglia : il fakiro Toulah rinascerà per voi dopo quaranta giorni di morte ». Cento lire l'ingresso.
Il padiglione è deserto. Solo una donna sui cinquanta anni, forse tedesca, seduta accanto alla bara di vetro sta leggendo un album di fumetti di Topolino. Alza gli occhi verso la vetrina, vede Guido, riabbassa gli occhi. È vestita modestamente,

Des pavillons avec diverses boutiques, grandes et petites, un grand aquarium qui sert de vitrine et donne directement sur la rue. Des femmes y nagent, avec des palmes et des masques. C'est la publicité d'une grande marque de maillots de bain américaine. Beaucoup de jeunes hommes sont arrêtés là, à regarder, avec leurs motos, leurs vélos.

D'autres boutiques dans les pavillons, puis soudain quelques stands de tirs, « Tir moderne » et « Tir photographique », de vieilles baraques de foire baroques, pleines de petits miroirs, de balles et de ballons. Une femme blonde, aux cheveux teints, de quarante-cinq ans environ, avec quelque prétention et d'une élégance vulgaire, invite Guido à tirer. Guido fait courtoisement signe que non de la tête.

D'autres boutiques encore et un café en plein air, genre Zanarini à Riccione, abrité par un vélum et avec beaucoup de monde. Tout de suite après le café, une autre boutique de mode pour hommes, un grand pavillon-boutique en bois, vide et sans ornements, très éclairé au néon ; le cercueil en verre d'un fakir y est exposé. Les vitrines sont poussiéreuses, et, collées aux vitrines, on voit de grandes affiches : « La grande merveille : le fakir Toulah renaîtra pour vous après quarante jours de mort ». Cent lires l'entrée.

Le pavillon est désert. Seule une femme d'une cinquantaine d'années, peut-être une Allemande, assise près du cercueil de verre est en train de lire une bande dessinée de Mickey. Elle lève les yeux vers la vitrine, voit Guido, baisse les yeux. Elle est habillée

con un mezzo vestito da sera, e sopra il vestito porta un golf verde, di lana mediocre.

Padiglione fakiro. Interno. Notte.

567-587

Guido entra lentamente. La donna si alza, gli viene incontro e gli dà un biglietto che Guido paga, chiedendo :

GUIDO. – Lei è la moglie ?
MOGLIE FAKIRO. – Sì.

Guido guarda curiosamente la bara di vetro, intorno alla quale ronza un'ape, mischiando il suo ronzio a quello dei tubi al neon difettosi che sfrigolano, si accendono, si spengono. Si avvicina adagio.

GUIDO. – Quando si sveglierà ?
MOGLIE FAKIRO. – Lunedì…
GUIDO. – E da quando è rinchiuso qui dentro ?
MOGLIE DEL FAKIRO. – Da venticinque giorni…

modestement, avec une demi-robe du soir, et au-dessus de la robe elle porte un pull vert, en laine médiocre.

Pavillon fakir. Intérieur. Nuit.

567-587

Guido entre lentement. La femme se lève, vient à sa rencontre et lui donne un ticket, que Guido règle en demandant :

GUIDO. – Vous êtes sa femme ?
LA FEMME DU FAKIR. – Oui.

Guido regarde avec curiosité le cercueil de verre, autour duquel une abeille bourdonne, mêlant son bourdonnement à celui des tubes au néon défectueux qui grésillent, s'allument et s'éteignent. Il s'approche lentement.

GUIDO. – Quand va-t-il se réveiller ?
LA FEMME DU FAKIR. – Lundi…
GUIDO. – Et depuis combien de temps est-il enfermé là-dedans ?
LA FEMME DU FAKIR. – Depuis vingt-cinq jours…

La donna cerca di allontanare l'ape con la mano, poi si gira e va a sistemare un tubo al neon.
Guido guarda in silenzio nell'interno della bara : un serpentino risvegliatosi sale languidamente sulla gamba del fakiro.
Guido ha un lievissimo brivido. Rialza adagio lo sguardo, portandolo meccanicamente verso il cristallo della vetrina, che gli sta proprio di fronte. Dall'altra parte della vetrina, nella strada, gli appare una ragazza bruna, molto elegante, estremamente simile alla Claudia delle sue immaginazioni. Per qualche istante Guido rimane sospeso, come temendo un'allucinazione, ma intorno i rumori consueti non sono cessati, anzi tutto è ben concreto e reale ; nella strada, attraverso il vetro, si vedono due, tre ragazze che circondano la ragazza bruna chiedendole qualcosa. Altra gente si ferma e si sofferma intorno, guardando con curiosità. La ragazza bruna sorride, risponde, mentre quelli che le si sono fatti intorno le porgono foglietti o album per autografi, che essa incomincia a firmare.
Guido rapidamente si fa sulla porta del padiglione.

GUIDO. – Claudia !...

Claudia gli fa un cenno di saluto con la mano, risponde ridendo :

Le femme essaie d'éloigner l'abeille d'un geste de la main, puis elle se tourne et va installer un tube au néon.
Guido regarde silencieusement à l'intérieur du cercueil : un petit serpent qui s'est réveillé remonte langoureusement sur la jambe du fakir.
Guido a un très léger frisson. Il relève lentement les yeux et dirige mécaniquement son regard vers la glace de la vitrine, qui se trouve juste en face de lui. De l'autre côté de la vitrine, dans la rue, lui apparaît une jeune fille brune, très élégante, ressemblant beaucoup à la Claudia de ses imaginations. Pendant quelques instants, Guido reste hésitant, comme s'il craignait une hallucination, mais autour de lui les bruits habituels ne se sont pas arrêtés, au contraire, tout est bien concret et réel : dans la rue, à travers la vitre, on voit deux, trois jeunes filles qui entourent la jeune femme brune en lui demandant quelque chose. D'autres personnes s'arrêtent et s'attardent autour d'elle, en regardant avec curiosité. La jeune femme brune sourit, répond, tandis que ceux qui l'ont entourée lui tendent des bouts de papier ou des albums pour des autographes, qu'elle commence à signer.
Guido va rapidement à la porte du pavillon.

GUIDO. – Claudia !...

Claudia lui fait un signe de salutation avec la main et répond en riant :

CLAUDIA. – Ciao !…

Guido si fa largo tra la gente, sempre più fitta.

GUIDO. – Quando sei arrivata ?… Perché non mi hai avvertito ?…

Claudia, assediata sempre più da vicino non gli risponde ; ancora sorridente, ma già un po' seccata, cerca di schermirsi e di liberarsi dagli ammiratori e dalle moltiplicate richieste di autografi.

CLAUDIA. – Adesso basta… Per favore… Scusino… Ancora questo, e basta… Non posso… Per favore…

Guido interviene ; la prende sottobraccio e cerca di farle largo ; poi, non trovando di meglio, la trae a sé nell'interno del padiglione, respingendo quelli che vorrebbero seguirli e chiudendo la porta.

GUIDO. – Scusino… Facciano passare… Basta…

Claudia, dopo un attimo di sorpresa nel trovarsi accanto alla bara del fakiro, ride divertita, con freschezza quasi infantile.

CLAUDIA. – Ma cos'è questo ?… Brr !… Guarda, guarda !… A me fa impressione !…

CLAUDIA. – Ciao !…

Guido s'ouvre un chemin parmi les gens, de plus en plus nombreux.

GUIDO. – Quand es-tu arrivée ?… Pourquoi ne m'as-tu pas averti ?…

Claudia, assiégée de plus en plus près, ne lui répond pas : encore souriante, mais déjà un peu agacée, elle essaie de se défendre et de se libérer des admirateurs et des requêtes d'autographes qui se multiplient.

CLAUDIA. – Maintenant ça suffit… S'il vous plaît… Excusez-moi, non… Encore un et c'est tout… Je ne peux pas… S'il vous plaît…

Guido intervient : il la prend par le bras et cherche à lui frayer un passage ; mais, ne trouvant rien de mieux, il l'entraîne avec lui à l'intérieur du pavillon, en repoussant tous ceux qui voudraient les suivre et en fermant la porte.

GUIDO. – Pardon… Laissez passer… Ça suffit…

Claudia, passé l'instant de surprise de se trouver près du cercueil du fakir, rit amusée, avec une fraîcheur presque enfantine.

CLAUDIA. – Mais qu'est-ce que c'est ?… Brr !…C'est incroyable !… Ça me trouble beaucoup !…

E poiché la gente si affolla nella strada, davanti alla vetrina, Guido si rivolge alla moglie del fakiro :

GUIDO. – Per favore, signora, vuole chiudere... soltanto pochi minuti... Poi ce ne andiamo... Così... guardi...

Guido stesso tira le tende davanti al cristallo della vetrina, mascherando l'interno alla vista della folla. Di nuovo si scusa con la donna, sconcertata e un po' ostile :

GUIDO. – ... Scusi... Pochi minuti soltanto...

Poi si rivolge a Claudia, prendendole le mani :

GUIDO. – ... Claudia !... Bellissima !... Non dovevi arrivare domani ? Ti avrei aspettata in albergo...

E si protende a baciarla sulle guancie ; Claudia, sorridente e spontanea, gli restituisce i due baci, chiedendo con vivacità :

CLAUDIA. – Quando cominciamo ?...

DISSOLVENZA INCROCIATA

Et comme les gens se pressent dans la rue, devant la vitrine, Guido s'adresse à la femme du fakir :

GUIDO. – Je vous en prie, Madame, fermez… rien que quelques minutes… On va partir… Comme ça… regardez…

Guido tire lui-même les rideaux devant la vitrine, en masquant l'intérieur à la vue de la foule. Il s'excuse à nouveau auprès de la femme, déconcertée et un peu hostile :

GUIDO. – …Pardonnez-moi… Juste quelques minutes…

Puis il s'adresse à Claudia en lui prenant les mains :

GUIDO. – …Claudia !… Tu es très belle !… Tu ne devais pas arriver demain ? Je t'aurais attendue à l'hôtel…

Et il se penche pour l'embrasser sur les joues ; Claudia, souriante et spontanée, lui rend ses deux baisers, en demandant avec vivacité :

CLAUDIA. – Quand commençons-nous ?…

FONDU ENCHAÎNÉ

Automobile Guido. Interno. Notte.

588-603

Guido conduce lentamente, per una strada di campagna, deserta e buia ; gli sta accanto Claudia, che lo ascolta con attenzione, piena di buona volontà di capire, interessata come una bambina ad una favola.

GUIDO. – L'ha vista, le ha parlato poi ci ha costruito sopra delle immaginazioni… ma sgangherate, che lui stesso non riesce a concretare… Non riesce a cavarne un senso… Insomma, il tuo personaggio… il personaggio di questa ragazza… dovrebbe un po' rappresentare le sue aspirazioni, diciamo, sentimentali. Anche se non riesce a concretarla… a realizzarla… per lui è importante, molto importante… non può rinunciarvi… perché se vi rinunciasse… è come se perdesse qualsiasi speranza… Capisci ?…

Ride, cambia tono.

GUIDO. – … Tanto è vero, che ti ho fatta venire…

Claudia sorride appena, un po' sconcertata, chiede, seria :

Automobile de Guido. Intérieur. Nuit.

588-603

Guido conduit lentement, sur une route de campagne, déserte et sombre ; Claudia est près de lui et l'écoute attentivement, pleine de bonne volonté et désireuse de comprendre, intéressée comme l'est une enfant par un conte.

GUIDO. – Il l'a vue, il lui a parlé, puis il a bâti là-dessus des imaginations... mais décousues, que lui-même n'arrive pas à concrétiser... Il ne parvient pas à en tirer un sens... En somme, ton personnage... le personnage de cette jeune fille... devrait représenter un peu ses aspirations, disons, sentimentales. Même s'il ne réussit pas à lui donner une forme concrète... à la réaliser... pour lui, elle est importante, très importante... il ne peut y renoncer... ce serait comme s'il perdait tout espoir... Tu comprends ?...

Il rit, change de ton.

GUIDO. – ... D'ailleurs, c'est si vrai que je t'ai fait venir...

Claudia sourit légèrement, un peu déconcertée ; elle demande, d'un air sérieux :

CLAUDIA. – Ma questa ragazza, chi è ? Una studentessa ? O lavora ?… Dove l'ha conosciuta ?…
GUIDO. – Dovrebbe averla incontrata qui… No, non è una studentessa… Prima avevo pensato che fosse la figlia del guardiano di un museo, cresciuta in mezzo ai quadri antichi… quasi un'immagine antica anche lei : proprio italiana… Poi, no, forse abita vicino a un castello ferroviario… Lavora alle terme, o in albergo… È un'ipotesi…

Claudia lo guarda, allarmata, concreta, sincera.

CLAUDIA. – Come, un'ipotesi ? Ma c'è questa parte, nel film ? Mi sa che non l'avete ancora nemmeno scritta…

Guido risponde in tono di confessione scherzosa, un po' ribalda :

GUIDO. – No, non è scritta… E non è nemmeno inventata…

Claudia non capisce bene se Guido la prende in giro o dice sul serio, e sta allo scherzo, ma è schiettamente allarmata.

CLAUDIA. – Ma scusa, io quando comincio ?… Come fai a cominciare tu ?

CLAUDIA. – Mais cette jeune fille, qui est-elle ? C'est une étudiante ? Elle travaille ?... Où l'a-t-il connue ?...
GUIDO. – Il aurait dû la rencontrer ici... Non, ce n'est pas une étudiante... J'avais d'abord pensé qu'elle pouvait être la fille d'un gardien de musée, qui aurait grandi au milieu de tableaux anciens... presque une image ancienne, elle aussi : vraiment italienne... Et puis, non, elle habite peut-être près d'une maison de garde-barrière... Elle travaille aux thermes, ou à l'hôtel... C'est une hypothèse...

Claudia le regarde inquiète, concrète, sincère.

CLAUDIA. – Comment ça, une hypothèse ? Mais il existe ce rôle, dans le film ? J'ai l'impression que vous ne l'avez même pas écrit encore...

Guido répond sur le ton d'un aveu badin, un peu canaille :

GUIDO. – Non, il n'est pas écrit... Et il n'est même pas inventé...

Claudia ne comprend pas très bien si Guido se moque d'elle ou parle sérieusement ; elle accepte la plaisanterie, mais elle est sincèrement inquiète.

CLAUDIA. – Mais alors, quand est-ce que je vais commencer ?... Comment vas-tu faire, toi, pour commencer ?

Con ostentata, scherzosa sicurezza Guido risponde :

GUIDO. – Incomincio, sta tranquilla. Fra quindici giorni…

Ride, poi riprende, in altro tono :

GUIDO. – … Sai, questo è un film un po' particolare, per me… I personaggi devono nascere un po' dalle circostanze, soprattutto il tuo… Non hanno una vita autonoma…

In tono di affettuosa presa in giro, chiede :

GUIDO. – … Sai cosa vuol dire "autonoma" ?
CLAUDIA. – Autonoma ?… Sì, autonoma…

Con passaggio brusco, Guido le chiede :

GUIDO. – Tu, per esempio, sei mai stata innamorata ?… Di un uomo così, tu potresti innamorarti ?…

Claudia è appena un po' sconcertata ; ma ritorna subito al concreto, sanamente.

CLAUDIA. – Ma lui, scusa, è sposato, no ?…
GUIDO. – Sì, te l'ho detto. E ha pure un'altra donna, un'amante…

Avec une assurance affichée et badine, Guido répond :

GUIDO. – Je vais commencer, ne te fais pas de souci. Dans quinze jours…

Il rit, puis il reprend, sur un autre ton :

GUIDO. – …Tu sais, ce film est un peu particulier, pour moi… Les personnages doivent naître un peu des circonstances, surtout le tien… Ils n'ont pas de vie autonome…

Sur un ton affectueux de moquerie, il demande :

GUIDO. – …Tu sais ce que ça veut dire « autonome » ?
CLAUDIA. – Autonome ?… Oui, autonome…

Brusquement, Guido lui demande :

GUIDO. – Toi, par exemple, tu n'as jamais été amoureuse ?… D'un homme comme ça, tu pourrais tomber amoureuse ?…

Claudia est juste un peu déconcertée ; mais elle revient aussitôt au concret, de façon saine.

CLAUDIA. – Mais lui, dis-moi, il est marié ou pas ?…
GUIDO. – Oui, je te l'ai dit. Et il a même une autre femme, une maîtresse…

CLAUDIA. – Ah!… E allora cosa cerca? Se sua moglie gli vuole bene, non mi sembra mica tanto simpatico…
GUIDO. – No, forse non è simpatico… Perché deve essere simpatico?…
CLAUDIA. – Ma almeno, lui, alla moglie le vuole bene? La moglie, chi la fa? Ha una parte grande?
GUIDO. – Non lo sa se le vuole bene… In fondo, sì, molto… Ma è il suo rimorso continuo, si può voler bene a un rimorso? Gli diviene sempre più sconosciuta, come un giudice, che anche se ti sorride sai che ti condanna… E l'altra… è una specie di ricordo… una specie di madre, nutriente, ma anche distruggitrice… Mi segui?… Hai capito?…

Claudia crolla il capo, preoccupata, appena un po' scherzosa, sincera.

CLAUDIA. – Capisco solo una gran confusione…

Guido ride, ma in fondo è turbato. Rallenta ancora; la macchina ora si trova nella piazzetta di un paese sperduto, solitario, antico. Guido guarda fuori, si riconosce; dice:

GUIDO. – Qui ci deve essere un palazzo del cinquecento… Bellissimo… Una piazzetta… Aspetta…

CLAUDIA. – Ah !... Mais qu'est-ce qu'il cherche alors ? Si sa femme l'aime, il ne me semble pas si sympathique que ça...
GUIDO. – Non, il n'est peut-être pas sympathique... Pourquoi devrait-il l'être ?...
CLAUDIA. – Mais est-ce qu'au moins il aime sa femme ? Qui joue sa femme ? C'est un rôle important ?
GUIDO. – Il ne sait pas s'il l'aime... Au fond, oui, beaucoup... Mais c'est son remords continu, peut-on aimer un remords ? Elle devient pour lui de plus en plus étrangère, comme un juge dont on sait que, même quand il vous sourit, il vous condamne... Et l'autre... est une sorte de souvenir... une sorte de mère, nourricière, mais aussi destructrice... Tu me suis ?... Tu as compris ?...

Claudia secoue la tête, soucieuse, avec juste un soupçon d'enjouement, sincère.

CLAUDIA. – Je comprends seulement qu'il y a une grande confusion...

Guido rit, mais au fond il est troublé. Il ralentit encore ; la voiture se trouve à présent sur la petite place d'un village perdu, solitaire, ancien. Guido regarde dehors, il reconnaît l'endroit, il dit :

GUIDO. – Ici, il doit y avoir un palais du XVIe siècle... Très beau... Une petite place... Attends...

Guido accelera, svolta in un vicoletto e di qui sbuca in un'altra piazza che è un gioiello di architettura cinquecentesca : tutto il fondo è chiuso, scenograficamente, da un antico palazzo, semiabbandonato, solenne, misterioso.
Guido ferma, apre la portiera e scende ; Claudia scende di macchina.

Piazzetta e palazzo cinquecentesco.
Esterno. Notte.

L'erba cresce tra l'acciottolato sconnesso ; le piccole case che circondano la piazza sono chiuse e silenziose ; non si vede anima viva. L'orologio campanario del paese suona le ore. Guido e Claudia si guardano attorno, in silenzio. Claudia dice a mezza voce :

CLAUDIA. – Quanto è bello !... Vorrei che fosse mio...

Guido la prende sottobraccio, continua il discorso interrotto, ma in tono più sommesso, quasi di confessione, in cui la sincerità e il desiderio di suggestione si mescolano.

GUIDO. – A volte, mi sembra di avere tutto chiaro, in mente... addirittura mi sembra che il film sia già fatto... forse perché sono ricordi miei... cose mie...

Il accélère, vire dans une ruelle et, de là, il débouche sur une autre place qui est un bijou d'architecture du XVIe siècle : le fond est entièrement fermé, comme un décor, par un ancien palais, à moitié abandonné, solennel, mystérieux.
Guido s'arrête, ouvre sa portière et descend ; Claudia, elle aussi, descend de la voiture.

Petite place et palais du XVIe siècle.
Extérieur. Nuit.

L'herbe pousse entre les pavés disjoints ; les petites maisons qui entourent la place sont fermées et silencieuses ; on ne voit âme qui vive. L'horloge du clocher du village sonne l'heure. Guido et Claudia regardent autour d'eux, en silence. Claudia dit à mi-voix :

CLAUDIA. – Comme c'est beau !... J'aimerais que ce soit à moi...

Guido la prend par le bras, continue son discours interrompu, mais sur un ton plus bas, presque de confession, où se mêlent la sincérité et le désir d'en imposer.

GUIDO. – Parfois, il me semble que tout est clair, dans mon esprit... il me semble même que le film est déjà tourné... peut-être parce qu'il s'agit de souvenirs qui m'appartiennent... de choses qui sont miennes...

A volte, invece tutto mi sfugge, diventa confuso, inutile… un po' come la mia vita… Che senso ha ?… Mah !…

La riconduce verso la macchina tenendola per mano, aggiunge, in tono di scherzo, ma molto confidenziale :

GUIDO. – … Tu, però, queste cose non dirle ai giornalisti. Le dico a te… Non dirle a nessuno…

Claudia colpita dall' inattesa confidenza e dal tono di lui, si affretta a rassicurarlo, guardandolo con interesse.

CLAUDIA. – Io ?… no !… Quello che mi dicono, io non lo ripeto mai…

Essi risalgono in macchina.

Macchina Guido. Interno. Notte.

614-621

Risaliti in macchina, e chiusi gli sportelli, Guido, invece di avviarsi, si volge a guardare Claudia, nella penombra, in modo del tutto professionale.

Parfois, au contraire, tout m'échappe, devient confus, inutile… un peu comme ma vie… Quel sens peut-elle avoir ?… Bah !…

Il la ramène vers la voiture en la tenant par la main, et il ajoute sur le ton de la plaisanterie, mais très confidentiellement :

GUIDO. – …Mais toi, ces choses, ne les raconte pas aux journalistes. Je te les dis à toi… N'en parle à personne…

Claudia, frappée par cette confidence inattendue et par le ton de Guido, s'empresse de le rassurer, en le regardant avec intérêt.

CLAUDIA. – Moi ?… Non !… ce qu'on me dit, moi, je ne le répète jamais…

Ils remontent en voiture.

Voiture de Guido. Intérieur. Nuit.

614-621

Une fois dans la voiture et après avoir fermé les portières, Guido, au lieu de mettre en marche, se tourne pour regarder Claudia, dans la pénombre, de façon tout à fait professionnelle.

GUIDO. – Non hai mai provato a pettinarti all'insù ?... Come stai, con i capelli in su ?... Prova un po'...

Claudia si affretta a ubbidire al regista.

CLAUDIA. – Non mi piace... Sto male...
GUIDO. – Girati... Così... Stai benissimo... Girati dall'altra...

La guarda in silenzio qualche istante, poi avvia il motore, riprendendo :

GUIDO. – ... Avevo anche pensato che lui se la immaginasse in tanti atteggiamenti. Così, ecco... come adesso. Poi in un prato... Poi, una volta, in camera sua, in albergo... Lei ci va d'improvviso... e stanno insieme...
CLAUDIA. – Ma lei, è innamorata di lui ?
GUIDO. – Si, credo... Dovrebbe essere innamorata... Anzi, è proprio questo : un'offerta nuova... che lo sorprende... gli cambia la vita...
CLAUDIA. – Certo che questa ragazza, scusa, è un po' strana... se l'ha visto appena una volta !
GUIDO. – È proprio questo... Che è come se lo avesse sempre visto... Lei dovrebbe dirgli, per esempio, tu sei per me il mio primo uomo, io ti aspettavo, se vuoi, vengo via con te, se vuoi, ti aspetto, qualunque cosa pur di stare con te... Tu, una cosa così, la diresti a un uomo ?

GUIDO. – Tu n'as jamais essayé de te coiffer avec les cheveux relevés ?... Comment es-tu, avec les cheveux relevés ?... Essaie pour voir...

Claudia s'empresse d'obéir au metteur en scène.

CLAUDIA. – Ça ne me plaît pas... Ça ne me va pas...
GUIDO. – Tourne-toi... Comme ça... Ça te va très bien... Tourne-toi de l'autre côté...

Il la regarde en silence pendant quelques instants, puis il met en marche en reprenant :

GUIDO. – ... J'avais pensé aussi qu'il l'imaginait sous plusieurs attitudes. Comme ça, voilà... comme maintenant. Puis sur une pelouse... Une autre fois dans sa chambre à l'hôtel... Elle y va soudain... et ils restent ensemble...
CLAUDIA. – Mais elle, elle est amoureuse de lui ?
GUIDO. – Oui, je crois... Elle devrait être amoureuse... Ce serait même ça, justement : une nouvelle possibilité... qui le surprend... qui change sa vie...
CLAUDIA. – Cette fille est tout de même étrange... elle ne l'a vu qu'une fois à peine !...
GUIDO. – C'est ça, justement... C'est comme si elle l'avait toujours vu... Elle devrait lui dire, par exemple, tu es pour moi le premier homme, je t'attendais, si tu veux, je pars avec toi, si tu veux, je t'attends, n'importe quoi pourvu que je reste avec toi... Toi, tu dirais une chose pareille à un homme ?

Claudia un po' turbata.

CLAUDIA. – Non so dipende… Se gli volessi davvero bene… Ma poi dipende da come vuoi fare tu… Certo che, povera ragazza, se è davvero innamorata di un tipo così, chissà quanto deve soffrire… Come si chiama ?…
GUIDO. – Io la chiamerei Claudia…
CLAUDIA. – Ma è il mio nome…
GUIDO. – Sì… Ti dispiace ?… Deve essere come te… Difatti ho scelto te…

Claudia sorridente, gli getta una occhiata malcerta, di nuovo un po' turbata ; Guido riprende subito, in altro tono :

GUIDO. – Lo so che mi spiego male. Allora immagina un uomo sui quaranta… come me…
CLAUDIA. – Ah !… Tu hai quarant'anni ? Credevo…
GUIDO. – Di più ?…

Claudia cerca di rimediare, da ragazzina.

CLAUDIA. – No… Perché hai gli occhiali…

Guido se gli toglie

GUIDO. – Così ?…
CLAUDIA. – Trentanove.

Claudia, un peu troublée :

CLAUDIA. – Je ne sais pas, ça dépend… Si je l'aimais vraiment… Mais tout dépend de ce que tu veux faire… Mais c'est sûr que, la pauvre, si elle est vraiment amoureuse d'un type comme celui-là, comme elle doit souffrir !… Comment s'appelle-t-elle ?…
GUIDO. – Je l'appellerais Claudia…
CLAUDIA. – Mais c'est mon nom…
GUIDO. – Oui… Ça te dérange ?… Elle doit être comme toi… C'est pourquoi c'est toi que j'ai choisie…

Claudia sourit et lui jette un regard d'incertitude, de nouveau un peu troublée ; Guido reprend aussitôt, sur un autre ton :

GUIDO. – Je sais que je m'explique mal. Alors imagine un homme d'environ quarante ans… comme moi…
CLAUDIA. – Ah !… Tu as quarante ans ? Je croyais…
GUIDO. – Plus ?

Claudia essaie de se rattraper, comme une fillette.

CLAUDIA. – Non… Parce que tu portes des lunettes…

Guido les enlève.

GUIDO. – Comme ça ?…
CLAUDIA. – Trente-neuf.

Ridono, poi Claudia riprende :

GUIDO. – No, adesso seriamente. Immagina un uomo della mia età… Non ha mai voluto vedere chiaramente nei suoi sentimenti per una specie di rifiuto della verità… O soltanto perché non sa vederla… Un giorno gli capita di conoscere una ragazza… un tipo come te… Tu quanti anni hai ?…
CLAUDIA. – Ventuno.
GUIDO. – Ti sembra troppo giovane ?…

Claudia è sincera, seria, un po' turbata.

CLAUDIA. – No, perché ?… Se io volessi davvero bene a qualcuno, non m'importerebbe mica l'età…

C'è un silenzio. Guido ha rallentato tanto, che ora la macchina si ferma, come da sola. Intorno, non c'è che la campagna notturna, piena di grilli e di fruscii. Claudia, dopo qualche istante, mentre Guido sembra assorto e perduto dietro pensieri suoi, chiede sommessa :

CLAUDIA. – Insomma, come va a finire ?

Guido si riscuote, la guarda un momento in silenzio, poi invece di rispondere riprende, come seguendo il filo del suo pensiero :

Ils rient, puis Guido reprend :

GUIDO. – Non, alors, sérieusement. Imagine un homme de mon âge… Il n'a jamais voulu voir clairement dans ses sentiments à cause d'une sorte de refus de la vérité… Ou simplement parce qu'il ne sait pas la voir… Un jour, il connaît une jeune fille… quelqu'un comme toi… Toi, quel âge as-tu ?…
CLAUDIA. – Vingt et un.
GUIDO. – Ça te semble trop jeune ?…

Claudia est sincère, sérieuse, un peu troublée.

CLAUDIA. – Non, pourquoi ?… Si j'aimais vraiment quelqu'un, son âge ne m'intéresserait pas du tout…

Il y a un silence. Guido a tellement ralenti qu'à présent la voiture s'arrête comme d'elle-même. Autour, rien d'autre que la campagne nocturne, pleine de grillons et de bruissements. Claudia, après quelques instants, alors que Guido semble absorbé et perdu dans ses pensées, demande tout bas :

CLAUDIA. – Finalement, ça finit comment ?

Guido se secoue, il la regarde un instant en silence puis, au lieu de répondre, il reprend comme s'il suivait le fil de ses pensées :

GUIDO. – Per lui, è un po' come sentisse che dietro un vetro c'è una cosa che lo riguarda… Come un rinascere… Cioè, questa cosa dovrebbe fargli capire che era fuori da tutto, fuori dalla vita… e lui, pur comprendendo con allucinante chiarezza la… la verità di questa offerta… è così… così…
CLAUDIA. – Vigliacco ?…

Claudia è stata sincera, semplice, ma nel suo tono c'è qualcosa di molto personale ; Guido ha una lieve contrazione.

GUIDO. – Be' un po' troppo… Vigliacco ?… Ammetti che quando ti ho visto dal fakiro, di là dal vetro… io avessi capito che tu… proprio tu, Claudia, tu come sei, fossi pronta a… volermi bene… che con te potrei ricominciare tutto da capo… non so come… naturalmente… ma ammetti che fosse così… e poi non avessi avuto il coraggio di spaccare la vetrina… perché c'era della gente intorno… per non farmi prendere per matto… così, capisci ?… Sì, in fondo vigliacco… E tu avessi aspettato un poco, sorridendomi… e te ne fossi andata… Lo sai che davvero, quando ti ho vista, per un momento sono stato incerto, se eri proprio tu…

Il tono, sul filo del rasoio, tra la finzione e la realtà, si è fatto sempre più commosso, anche Claudia ne è presa. Risponde a mezza voce :

GUIDO. – Pour lui, c'est un peu comme s'il sentait que derrière une vitre il y a quelque chose qui le concerne… Comme une renaissance… C'est-à-dire que cela devrait lui permettre de comprendre qu'il était en dehors de tout, en dehors de la vie… et lui, tout en comprenant avec une clarté hallucinante la… la vérité de cette possibilité… il est si… si…
CLAUDIA. – Lâche ?…

Claudia a été sincère, simple, mais il y a dans son ton quelque chose de très personnel, Guido a une légère contraction.

GUIDO. – Lâche ?… C'est peut-être un peu trop… Imagine, lorsque je t'ai vue chez le fakir, au-delà de la vitre… si j'avais compris que toi… justement toi, Claudia, toi telle que tu es, tu avais été prête à… m'aimer… qu'avec toi j'aurais pu tout recommencer depuis le début… je ne sais pas comment… évidemment… mais imagine que ce soit ainsi… et que si je n'avais pas eu ensuite le courage de briser la vitrine… parce qu'il y avait des gens autour… pour qu'on ne me prenne pas pour un fou… comme ça, comprends-tu ?… Oui, au fond, un lâche… Et si tu avais attendu un peu… en me souriant… et si tu étais partie… Tu sais que, vraiment, quand je t'ai vue, pendant un moment, je n'étais pas certain que c'était vraiment toi…

Le ton, sur le fil du rasoir, entre la fiction et la réalité, s'est fait de plus en plus ému. Claudia, elle aussi, en est touchée. Elle répond à mi-voix :

CLAUDIA. – Ma lui, gliele dice, queste cose, a lei ?... Se l'ama, perché non gliele dice ?... Sarebbe più semplice...

Guido la fissa nella penombra...

GUIDO. – E se anche gliele dicesse ?... È proprio questo, il punto... Lui, così invischiato... Così stanco... Come può avere il coraggio ?... Cosa può sperare ?... Cosa dovrebbero fare, dopo, secondo te ?... Andarsene via insieme ?...

C'è un silenzio molto pensato. Sommessa e turbata, ma sempre schietta, autentica, Claudia risponde finalmente :

CLAUDIA. – Certo, se lui non è capace di voler bene né alla moglie, né a quest'altra, all'amante... perché dovrebbe voler bene proprio a lei ?... Forse è lui che non sa voler bene... e allora è inutile.

Ancora un breve silenzio. Ma l'incanto è rotto. In tono di nuovo concreto, tra scherzoso e amaro, Guido riprende, avviando il motore :

GUIDO. – E allora chiuso, finito. Tagliamo la parte. O non facciamo il film.

Claudia sta allo scherzo, quasi sollevata, ma un po' preoccupata.

CLAUDIA. – Mais lui, il les lui dit ces choses, à elle ?… S'il l'aime, pourquoi ne les lui dit-il pas ?… Ce serait plus simple…

Guido la fixe dans la pénombre…

GUIDO. – Et même s'il les lui disait ?… Voilà le problème… Lui, si englué… Si fatigué… Comment peut-il avoir le courage ?… Que peut-il espérer ?… Que devraient-ils faire ensuite, à ton avis ?… S'en aller ensemble ?…

Il se fait un silence plein de réflexion. A voix basse et troublée, mais toujours sincère et authentique, Claudia finit par répondre :

CLAUDIA. – Certes, s'il est incapable d'aimer ni sa femme, ni l'autre, sa maîtresse… pour quelle raison devrait-il l'aimer, justement elle ?… C'est peut-être lui qui ne sait pas aimer… et alors c'est inutile.

Encore un court silence, mais le charme est rompu. Sur un ton de nouveau concret, entre le plaisant et l'amer, Guido reprend, en allumant le moteur :

GUIDO. – Et alors on ferme, c'est fini. On coupe le rôle. Ou on ne fait pas le film…

Claudia se prête au jeu, comme soulagée, mais un peu préoccupée.

CLAUDIA. – Tanto, io ho il contratto, e mi dovete pagare…

Guido, conducendo velocemente, continua :

GUIDO. – Eppure c'è, quella ragazza… C'è, lo so. La conosco. Ecco…

Frena, un po' bruscamente.

GUIDO. – … So anche dove abita. Abita lì… Quella casetta, vicino al casello, adesso te la faccio vedere, così ti convinci.

Claudia infantilmente, divertita, un po' eccitata, ride.

CLAUDIA. – Dove vai ?… Cosa fai ?…

Guido la fa scendere di macchina.

GUIDO. – Vieni giù… Suoniamo, e ti chiamo Claudia…

CLAUDIA. – Peu importe, j'ai le contrat, vous devrez me payer…

Guido, en conduisant rapidement, continue :

GUIDO. – Et pourtant, elle existe cette fille… Elle existe. Je sais qu'elle existe. Je la connais. Voilà…

Il freine assez brusquement :

GUIDO. – … Je sais même où elle habite. Elle habite là… Cette maison près de la barrière du passage à niveau, je vais te la faire voir, comme ça tu seras convaincue.

Claudia, enfantinement amusée, un peu excitée, rit.

CLAUDIA. – Où vas-tu ?… Qu'est-ce que tu fais ?…

Guido la fait descendre de voiture.

GUIDO. – Descends… On va sonner, et je vais appeler Claudia…

Strada e casello ferroviario.
Esterno. Notte.

622-630

La macchina è ferma a poca distanza da un passaggio a livello, prima del quale, c'è una casetta chiusa, silenziosa.
Guido prende per mano Claudia, che ride coma una bambina, eccitata e un po' sgomenta, e si dirige verso la casetta.

GUIDO. – Vieni… Dov'è il campanello ?

Claudia scioglie la sua mano da quella di lui e si ritrae indietro di corsa.

CLAUDIA. – No, no… Cosa gli dici ?… A quest'ora ?… Non fare il matto… Tanto, non è vero ?

Ma è divertita, e anche non ben sicura che veramente Claudia non esista. Guido suona, bussa.

GUIDO. – Dorme lì, Claudia… Quella è la sua stanza… Adesso scende…

È interrotto dall'aprirsi di una finestra : una donna anziana, spettinata e insonnolita si affaccia.

Route et maison du passage à niveau.
Extérieur. Nuit.

622-630

La voiture est arrêtée non loin d'un passage à niveau, avant lequel se trouve une petite maison fermée, silencieuse.
Guido prend par la main Claudia, qui rit comme une enfant, excitée et un peu effrayée, et se dirige vers la petite maison.

GUIDO. – Viens… Où est la sonnette ?

Claudia détache sa main de celle de Guido et s'en va en courant.

CLAUDIA. – Non, non… Qu'est-ce que tu vas lui dire ?… A cette heure-ci ?… Ne fais pas de bêtises… D'ailleurs, ce n'est pas vrai…

Mais cela l'amuse, et elle n'est pas tout à fait certaine que Claudia n'existe pas. Guido sonne, frappe.

GUIDO. – Elle dort là, Claudia… C'est sa chambre… Elle va descendre…

Il est interrompu par quelqu'un qui ouvre une fenêtre : une vieille femme, les cheveux en désordre et

Claudia, ridente e spaurita, non sa se ficcarsi dentro l'automobile, e guarda divertitissima.

DONNA. – Chi è ?... Che vuole ?...
GUIDO. – Scusi... Il ragioniere... quello del comune... non so come si chiama... abita qui ?...
DONNA. – Chi ?...
GUIDO. – Il ragioniere del comune... non mi ricordo il nome...
DONNA. – No, no... Che ragioniere ?... No, qui ci stiamo noi...
GUIDO. – Mi spiace... Scusi tanto, sa... Ci avevano detto... Buona notte.

La donna richiude la finestra. Guido torna verso Claudia che ora ride schiettamente, come una ragazzina.

CLAUDIA. – È quella, la tua Claudia ?...

Scherzoso, ma ora un po' mascalzonesco, Guido la prende per mano.

GUIDO. – Sei tu, Claudia...

E cerca di darle un bacio sui capelli. Claudia ride e si infila in macchina, sottraendoglisi. Dalla macchina dice :

ensommeillée se penche. Claudia, riant et effarouchée, ne sait pas si elle doit se glisser dans la voiture, et regarde très amusée.

LA FEMME. – Qui êtes-vous ?... Qu'est-ce que vous voulez ?...
GUIDO. – Excusez-moi... Le comptable, celui de la mairie... je ne connais pas son nom... il habite ici ?...
LA FEMME. – Qui ça ?...
GUIDO. – Le comptable de la mairie... je ne me souviens plus de son nom...
LA FEMME. – Non, non... Il n'y a pas de comptable... C'est nous qui habitons ici...
GUIDO. – Pardonnez-moi... Excusez-moi... On nous avait dit... Bonne nuit.

La femme referme la fenêtre. Guido revient vers Claudia qui rit franchement, comme une fillette.

CLAUDIA. – C'est ça, ta Claudia ?...

En plaisantant, mais d'un air un peu équivoque, Guido lui prend la main.

GUIDO. – Claudia, c'est toi.

Et il essaie de l'embrasser sur les cheveux. Claudia rit et se glisse dans la voiture, en l'esquivant. Une fois dans la voiture, elle dit :

CLAUDIA. – Torniamo?... Ho anche un po' fame...

Guido chiude lo sportello, risponde vago :

GUIDO. – Sì... Torniamo...

E gira attorno alla macchina per salire a sua volta.

DISSOLVENZA

Spiaggia e astronave. Esterno. Giorno.

631-660

La macchina di Guido giunge nei pressi della grande costruzione, ora ultimata.
Intorno, sulla spiaggia, c'è una piccola folla in attesa : giornalisti, fotografi, invitati, attori, gente della produzione del film. Una lunga tavola di buffet, guardata da tre o quattro domestici in giacca bianca, sottolinea il tono mondano della giornata. Molte macchine sono ferme sulla strada, ai margini della spiaggia, un po' dovunque.
Guido è accompagnato da Luisa e Carini ; i quali subito però si sperdono nel cerchio di gente che si stringe intorno al regista. Fra la gente in attesa, ci sono anche Rossella, Tina, Michela, Enrico,

CLAUDIA. – On rentre ?… J'ai un peu faim…

Guido ferme la portière et répond hésitant :

GUIDO. – Oui… Rentrons…

Et il fait le tour de la voiture pour monter à son tour.

FONDU

Plage et astronef. Extérieur. Jour.

631-660

La voiture de Guido parvient à proximité de la grande construction désormais achevée.
Tout autour, sur la plage, il y a une petite foule en attente : des journalistes, des photographes, des invités, des acteurs, des actrices, des gens de la production du film. Une longue table de buffet, gardée par trois ou quatre domestiques en veste blanche, souligne le ton mondain de cette journée. Beaucoup de voitures sont arrêtées sur la route, à la limite de la plage, un peu partout.
Guido est accompagné par Luisa et Carini, qui se noient cependant tout de suite dans le cercle des gens qui se pressent autour du metteur en scène. Parmi les gens qui attendent, il y a, entre autres, Rossella, Tina,

D'Andrea ; si riconoscono anche diverse delle attrici che hanno fatto i provini.
Il primo a farsi incontro a Guido è l'Ing. Pace trionfante, il quale si trascina dietro, sottobraccio, l'attore americano che dovrà impersonare il protagonista ; lo ha già fatto truccare, per aumentare la suggestione reclamistica della « conferenza stampa ». Mentre l'attore tende la mano, un po' ostentatamente, a Guido, l'Ing. Pace fa dei grandi cenni ai fotografi perché non perdano l'occasione ; infatti, la stretta di mano si prolunga più del necessario, e Guido, serrato in un cerchio di persone che si accalcano, è bersagliato di « flash ». Poi Pace, assecondato da Bruno e dagli aiutanti, fa strada verso la scaletta della rampa.

PACE. – Avanti, avanti… Salite… Così, quand'è chiuso lassù non vi scappa… Quante domande volete… Un momento… Fermi un momento qui per favore… Sulla scala… Guido.

Fermi a metà della scaletta, Guido e l'attore si stringono di nuovo la mano, mentre i fotografi fanno scattare le macchine e i « flash » ; poi Guido riprende a salire, seguito da presso, quasi incalzato, dalla piccola folla dei giornalisti e degli attori. Sembra che lo accompagnino ad una esecuzione, su per la scaletta della ghigliottina.

Michela, Enrico et D'Andrea ; on reconnaît aussi diverses actrices qui ont tourné les essais.
Le premier qui s'avance vers Guido est Pace, triomphant, qui entraîne avec lui par le bras l'acteur américain qui devra jouer le rôle principal ; il l'a déjà fait maquiller pour augmenter l'impact publicitaire de la « conférence de presse ». Tandis que l'acteur tend la main à Guido, de façon assez ostentatoire, Pace fait de grands signes aux photographes pour qu'ils ne perdent pas l'occasion ; en fait, la poignée de main se prolonge plus qu'il n'est nécessaire, et Guido, enfermé dans un cercle de personnes qui se pressent, est la cible de tous les flashes. Pace, ensuite, secondé par Bruno et par des assistants, ouvre le chemin vers l'escalier de la rampe.

PACE. – Avancez, avancez… Montez… Ainsi, dès qu'il va être là-haut, il ne pourra plus vous échapper… Combien de questions avez-vous ?… Un moment… Arrêtez-vous ici un moment, s'il vous plaît… Sur l'escalier… Guido.

Arrêtés à mi-hauteur de l'escalier, Guido et l'acteur se serrent à nouveau la main, tandis que les photographes déclenchent leurs appareils et les flashes ; Guido recommence ensuite à monter, suivi de près, presque traqué, par la petite foule des journalistes et des acteurs. On dirait qu'ils l'accompagnent à une exécution, comme s'il montait à la guillotine.

Quando sbucano sulla terrazza superiore dell'astronave, Guido viene subito indirizzato da Pace verso un tavolino, accanto al quale sta un microfono. Tutto è pronto per la « conferenza ». Guido si rifugia dietro il tavolino, quasi per metterlo tra sé e la gente che gli si accalca intorno ; ma il cerchio si fa subito molto stretto. Accanto a lui, quasi come la sua copia caricaturale, prende posto l'attore truccato ; dall'altra parte sta l'Ing. Pace, il quale fa un cenno di incoraggiamento ai giornalisti, mentre Bruno distribuisce dei foglietti ciclostilati.

PACE. – Tutte le domande che vogliono... Ormai, segreti non ce ne sono più... Dopodomani, il primo giro di manovella, si comincia... Il cast, le notizie tecniche, son tutte lì... in questo prospetto...

Subito un giornalista incomincia l'interrogatorio, che assume immediatamente un tono quasi aggressivo, ostile, spietato.

I° GIORNALISTA. – Lei si riconosce nel protagonista del film ?...

E indica l'attore truccato.

GUIDO. – Sempre... più o meno incosciamente... direi che il protagonista rispecchia...

Quand ils sont parvenus sur la terrasse supérieure de l'astronef, Guido est aussitôt envoyé par Pace vers une petite table près de laquelle il y a un micro. Tout est prêt pour la « conférence ». Guido se réfugie derrière la petite table, comme pour la placer entre lui et les gens qui se pressent autour de lui ; mais le cercle devient tout de suite très étroit. A ses côtés, presque comme sa copie caricaturale, s'assoit l'acteur maquillé ; Pace s'assoit de l'autre côté : il fait un signe d'encouragement aux journalistes, tandis que Bruno distribue des feuillets polycopiés.

PACE. – Toutes les questions que vous voulez... Désormais, il n'y a plus de secrets... Dans deux jours, le premier tour de manivelle, on commence... Le casting, les informations techniques, tout est là... dans ce prospectus...

Un journaliste ouvre aussitôt l'interrogatoire, qui prend immédiatement un ton presque agressif, hostile, impitoyable.

Ier JOURNALISTE. – Vous reconnaissez-vous dans le protagoniste du film ?...

Et il indique l'acteur maquillé.

GUIDO. – Toujours... plus ou moins inconsciemment... je dirais que le protagoniste reflète...

Subito un secondo giornalista lo interrompe, incalzando :

II° GIORNALISTA. – Ma è vero che si tratta di una confessione autobiografica ?...
GUIDO. – Non c'è mai un limite preciso tra autobiografia e invenzione... credo...
III° GIORNALISTA. – Se questo non è un film di fantascienza, significa che l'argomento fantascienza è stato affrontato da lei come un tentativo di evasione dalla sua realtà ?
GUIDO. – Non esattamente... non esclusivamente dalla mia... Piuttosto come una nuova strada...

È subito interrotto da un altro ; mentre questi parla, lo sguardo smarrito di Guido si volge verso la distesa della spiaggia e del mare che s'apre vastissima ai piedi della costruzione.

IV° GIORNALISTA. – Il problema della incomunicabilità è veramente il suo problema fondamentale, o non è che un pretesto ?
GUIDO. – Credo che sia ormai un pretesto per tutti... Un luogo comune retorico...

Il primo incalza :

I° GIORNALISTA. – Allora, lei che cosa vuole esprimere con questo film ?

Il est aussitôt interrompu par un deuxième journaliste qui le presse :

IIe JOURNALISTE. – Est-il vrai qu'il s'agit d'une confession autobiographique ?...
GUIDO. – La limite entre l'autobiographie et l'invention n'est jamais précise... je crois...
IIIe JOURNALISTE. – Si ce film n'est pas un film de science-fiction, cela signifie-t-il que vous avez abordé le thème de la science-fiction comme une tentative d'évasion de votre réalité ?
GUIDO. – Pas exactement... pas exclusivement de la mienne... Plutôt comme un chemin nouveau...

Il est tout de suite interrompu par un autre journaliste ; tandis que celui-ci parle, le regard perdu de Guido se tourne vers l'étendue de la plage et de la mer qui s'ouvre très vaste aux pieds de la construction.

IVe JOURNALISTE. – Le problème de l'incommunicabilité est-il vraiment votre problème fondamental, ou n'est-ce qu'un prétexte ?
GUIDO. – Je crois que c'est désormais un prétexte pour tout le monde... Un lieu commun rhétorique...

Le premier journaliste le presse :

Ier JOURNALISTE. – Alors, que voulez-vous exprimer avec ce film ?

Altri intervengono :

III° GIORNALISTA. – Lei pensa veramente che le sue esperienze autobiografiche possano interessare il pubblico ?...
V° GIORNALISTA. – Come giustifica questa involuzione sentimentale di fronte al neorealismo ?...
VI° GIORNALISTA. – È un bilancio attivo, che lei ci presenta, o una specie di testamento ?

Il cerchio si è serrato sempre più intorno a Guido, il cui sguardo smarrito torna sovente al cielo, al mare, alla distesa delle dune...

661-675

Ora, all'improvviso, mentre intorno a lui tutti i rumori reali tacciono, le domande si fanno violente, gli sguardi e i gesti minacciosi, in una atmosfera da linciaggio.

GIORNALISTI. – Sua moglie sa che si tratta di una confessione autobiografica ?
– Cosa ne pensa, sua moglie, delle sue relazioni extraconiugali ?
– È vero che sta divorziando ? O si è adattata, e si consola con un amante ?
– Lo sa, lei che questo film è la confessione di un impotente ?...

D'autres interviennent.

IIIe JOURNALISTE. – Vous pensez vraiment que vos expériences autobiographiques peuvent intéresser le public ?…
Ve JOURNALISTE. – Comment justifiez-vous cette involution sentimentale face au néoréalisme ?…
VIe JOURNALISTE. – Est-ce un bilan actif que vous nous présentez, ou une sorte de testament ?

Le cercle se referme de plus en plus autour de Guido, dont le regard perdu s'élance souvent vers le ciel, la mer, l'étendue des dunes…

661-675

A présent, soudain, alors qu'autour de lui tous les bruits réels se taisent, les questions deviennent violentes, les regards et les gestes menaçants, dans une atmosphère de lynchage.

LES JOURNALISTES. – Votre femme sait-elle qu'il s'agit d'une confession autobiographique ?…
– Que pense votre femme de vos relations extra-conjugales ?…
– Est-ce vrai que vous êtes en train de divorcer ? Ou alors s'est-elle adaptée et se console-t-elle avec un amant ?…
– Savez-vous que ce film est la confession d'un impuissant ?…

– Se lei è un fallito, che cosa vuole insegnarci?…
– Ammetta che non ha più niente da dire…
– Che cosa la trattiene ancora dal suicidio?…
– Perché non scompare dignitosamente?
– Si tolga di mezzo… Si tolga di mezzo…

E, subitamente, uno degli interroganti afferra un mattone e glielo lancia in testa. Un altro impugna una cantinella e si butta contro di lui. Altri lo imitano. Il linciaggio incomincia…

DISSOLVENZA INCROCIATA

676-690

Semisvestito, lacero, sanguinante, Guido sta ora ritto sulla spiaggia, in un silenzio rarefatto.
Intorno, ci sono ancora piccoli gruppi di giornalisti e invitati, che discorrono tra loro, come congedandosi in una atmosfera di fine cerimonia. Accanto a Guido c'è un aiuto del direttore di produzione, un uomo tarchiato, greve, che lo sta guardando con un sincero, sbigottito rammarico.

– Si vous êtes un raté, que voulez-vous nous apprendre ?…
– Admettez que vous n'avez plus rien à dire…
– Qu'est-ce qui vous retient encore de vous suicider ?…
– Pourquoi est-ce que vous ne disparaissez pas dans la dignité ?…
– Dégagez… Dégagez…

Et soudain, l'un de ceux qui l'interrogent saisit une brique et la lui lance à la tête. Un autre attrape un soliveau et se jette sur lui. D'autres l'imitent.
Le lynchage commence…

FONDU ENCHAÎNÉ

676-690

A moitié nu, déguenillé, ensanglanté, Guido demeure maintenant debout sur la plage, dans un silence raréfié.
Tout autour, il y a encore de petits groupes de journalistes et d'invités qui discutent entre eux, comme s'ils prenaient congé dans une atmosphère de fin de cérémonie. Près de Guido, il y a un assistant du directeur de production, un homme trapu, lourd, qui le regarde avec un sentiment sincère de regret et de frayeur.

AIUTO. – Mannaggia, dottore !…

E non prosegue. Guido è come smarrito, smemorato. Dopo una pausa, l'altro riprende :

AIUTO. – Mannaggia, dottore !… Ha visto ? L'hanno proprio ammazzato !
GUIDO. – A me ?
AIUTO. – E non ha visto ?… Mannaggia !…

Una enorme speranza si dipinge sui tratti pesti di Guido.

GUIDO. – Ah, sì ?… Ma allora…

L'altro si stringe nelle spalle, sinceramente rammaricato, ma anche rassegnato.

AIUTO. – Eh !…
GUIDO. – Ma allora, io…

L'uomo assente col capo, allargando le braccia e indicando qualcosa verso la riva del mare.
Guido si volge, proprio sulla sponda è fermo un autofurgone funebre, Guido è profondamente commosso, ma di una commozione felice, piena di speranza e di senso di liberazione.

L'ASSISTANT. – Eh bien ! dottore…

Et il ne dit rien d'autre. Guido est comme perdu, sans mémoire. Après une pause, l'autre reprend :

L'ASSISTANT. – Eh bien ! dottore… Vous avez vu ? Ils vous ont vraiment tué !
GUIDO. – Qui, moi ?
L'ASSISTANT. – Et vous n'avez rien vu ?… Merde alors !…

Un espoir énorme se peint sur les traits meurtris de Guido.

GUIDO. – Ah oui ?… Mais alors…

L'autre hausse les épaules, avec un regret sincère, en même temps que résigné.

L'ASSISTANT. – Eh !…
GUIDO. – Mais alors, moi…

L'homme acquiesce de la tête, en ouvrant grand ses bras et en indiquant quelque chose sur le rivage de la mer.
Guido se retourne, juste au bord de l'eau il y a un fourgon funéraire, Guido est profondément ému, mais d'un émoi heureux, plein d'espoir et d'un sentiment de délivrance.

GUIDO. – Meno male !… Sai che sono proprio contento ?… Me ne posso andare ?… Me ne vado ?…

L'altro è un po' sorpreso.

AIUTO. – Eh, aspetti, no, che chiamo qualcuno… Non vorrà mica andarsene così… L'ingegnere… il dottor Bruno…
GUIDO. – No, no, no… Lascia stare… Nessuno…

L'uomo è quasi scandalizzato.

AIUTO. – Ma almeno sua moglie… Sua cognata… Dottore !…
GUIDO. – No, no… Nemmeno mia moglie… Va benissimo così… Se sapessi come sono contento ! Era proprio quello che volevo !… Zitto, lascia stare, non chiamare nessuno… Grazie, sai… Arrivederci… Ciao…

E Guido si dirige, con passo leggero, libero, verso l'autofurgone. Si mette a sedere accanto al guidatore in livrea grigia e caschetta : lo guarda. È l'attore americano, truccato, silenzioso, immobile. La macchina lentamente si avvia.

GUIDO. – Quelle chance !… Tu sais que je suis vraiment content ?… Je peux m'en aller ?… Je m'en vais ?…

L'autre est un peu surpris.

L'ASSISTANT. – Mais, attendez, je vais appeler quelqu'un… Vous n'allez tout de même pas partir comme ça… Monsieur Pace… le dottor Bruno…
GUIDO. – Non, non, non… Ne bouge pas… Personne…

L'homme est presque scandalisé.

L'ASSISTANT. – Mais votre femme, au moins… Votre belle-sœur… Dottore !…
GUIDO. – Non, non… Pas même ma femme… C'est très bien comme ça… Si tu savais comme je suis content ! C'est exactement ce que je voulais !… Chut, ne bouge pas, n'appelle personne… Et merci, hein !… Au revoir… Ciao…

Et Guido, d'un pas léger et libre, se dirige vers le fourgon. Il s'assoit près du conducteur en livrée grise et casquette : il le regarde. C'est l'acteur américain, maquillé, silencieux, immobile. La voiture se met en route lentement.

691-725

La spiaggia, l'astronave, il mare spariscono quasi subito ; la macchina, con moto liscio, eguale, senza scosse, percorre ora una meravigliosa valle verde e fiorita. Guido, felice, rapito, si guarda attorno, aspira il vento profumato che gli viene incontro...
La macchina attraversa l'interno di una grande, stupenda chiesa, tutta parata a festa, tutta splendente di luci infinite. Un vasto suono d'organo solenne e dolcissimo, accompagna per qualche istante il passaggio della macchina che ora si inoltra...
... nella lunghissima galleria di una pinacoteca, tra capolavori insigni...
... che svaniscono, per lasciare il posto ad una monumentale piazza di bellezza perfetta, armonicissima, silenziosa e deserta...
... Ma ora la macchina incomincia, apparentemente, una lunga discesa a spirale, una discesa durante la quale appaiono, spariscono, e tornano ad apparire, con insistenza di ritmo senza fine, luoghi, persone, cose della vita di Guido :
una grande statua del cardinale, la camera da letto dell'albergo, con Carla sdraiata sul letto in attesa ; la hall, con Luisa, la grande stanza della produzione, con Bruno e l'Ing. Pace, il banco di scuola, la fattoria, la spiaggia con la Saraghina... Il ritmo si fa sempre più veloce e inesorabile, i ritorni

691-725

La plage, l'astronef, la mer disparaissent presque aussitôt ; la voiture, avec un mouvement lisse, égal, sans secousses, parcourt maintenant une merveilleuse vallée verte et fleurie. Guido, heureux, ravi, regarde autour de lui, hume le vent parfumé qui vient à sa rencontre…

La voiture traverse l'intérieur d'une grande, merveilleuse église, avec des ornements de fête, toute resplendissante de lumières infinies. De grands sons d'orgues solennels et très doux accompagnent pendant quelques instants le passage de la voiture qui à présent s'engage…

… dans la très longue galerie d'un musée de peintures, au milieu d'illustres chefs-d'œuvre…

… qui s'évanouissent en laissant apparaître une place monumentale d'une beauté parfaite, très harmonieuse, silencieuse et déserte…

… Et maintenant la voiture s'engage, apparemment, dans une longue descente en spirale, une descente au cours de laquelle apparaissent, disparaissent et réapparaissent encore, avec un rythme insistant et sans fin, les lieux, les personnes, les choses de la vie de Guido :

une grande statue du cardinal, la chambre à coucher de l'hôtel, avec Carla attendant allongée sur le lit ; le hall, avec Luisa, la grande salle de la production, avec Bruno et Pace, le banc de l'école, la ferme, la plage avec la Saraghina… Le rythme devient de plus

più frequenti e ossessivi, la ricomparsa degli stessi posti, delle stesse persone sempre più implacabile, eterna, senza scampo...
Guido ha gli occhi sbarrati, madido di sudore, sconvolto dal terrore e dall'angoscia, getta un urlo terribile...

DISSOLVENZA

Camera da letto Guido. Albergo terme.
Interno. Giorno.

Guido sta terminando l'ultima sua valigia. Altre due, già chiuse, stanno accanto alla porta. La stanza ha l'aspetto disordinato dello sgombero.
Seduto in una poltrona c'è Carini. Parla col suo solito distacco, pacatamente. Guido tace, forse non sente nemmeno bene ciò che l'altro dice.

CARINI. – In fondo, perdere dei soldi fa parte del mestiere del produttore... Hai fatto benissimo. Non c'era altro da fare... Pace se lo merita : non è lecito imbarcarsi con tanta sprovvedutezza in un'avventura così sballata... Un film sbagliato, per lui non sarebbe stato che una questione economica ; per te, al punto in cui sei arrivato, poteva essere la fine... Lasciali strillare... Hai avuto il coraggio di rinunciare, ti sei salvato appena in tempo...

en plus rapide et inexorable, les retours plus fréquents et obsédants, la réapparition des mêmes endroits, des mêmes personnes devient de plus en plus implacable, éternelle, sans issue…
Guido, les yeux écarquillés, en nage, bouleversé d'angoisse et de terreur, lance un cri terrible…

FONDU

Chambre lit Guido. Hôtel des thermes.
Intérieur. Jour.

Guido achève de remplir sa dernière valise. Deux autres, déjà fermées, se trouvent près de la porte. La chambre a l'aspect désordonné d'un déménagement. Assis dans un fauteuil, Carini. Il parle avec son détachement habituel, calmement. Guido ne dit mot, il n'entend peut-être même pas bien ce que l'autre dit.

CARINI. – Au fond, perdre de l'argent, cela fait partie du métier de producteur… Tu as très bien fait. Il n'y avait rien d'autre à faire… Pace, il l'a bien mérité : ce n'est pas permis de s'embarquer avec tant d'ingénuité dans une aventure si grotesque… Un film raté, cela n'aurait été pour lui qu'une question économique ; pour toi, au point où tu en es, cela pouvait être la fin… Laisse-les crier… Tu as eu le courage de renoncer, tu t'es sauvé juste à temps…

Il lift bussa alla porta ed entra, indicando le valigie.

LIFT. – Posso prendere?…
GUIDO. – Sì… Porta giù…

Poi, mentre il lift si carica i bagagli ed esce, Guido passa nel bagno, a dare un'ultima occhiata, getta un colpo d'occhio in giro, e dice :

GUIDO. – Be'… Andiamo…

Esce, precedendo Carini.

Corridoi dell'albergo e sala produzione.
Interno. Giorno.

736-740

Guido e Carini, preceduti dal lift con i bagagli, percorrono il corridoio. Nel passare, Guido si sofferma un momento sulla soglia della sala della produzione, entrandovi di qualche passo.
Anche qui, c'è aria di smobilitazione. Le fotografie sono state tolte dai muri, i modellini giacciono a terra, qualcuno è già rotto, alcune casse aperte sono mezze colme di oggetti diversi.

Le garçon d'ascenseur frappe à la porte, entre et indique les valises :

LE GARÇON D'ASCENSEUR. – Je peux les prendre ?...
GUIDO. – Oui... Portez-les en bas...

Puis, tandis que le garçon d'ascenseur se charge des bagages et sort, Guido passe dans la salle de bains, pour une dernière inspection, il jette un coup d'œil et dit :

GUIDO. – Bon... Partons...

Guido sort, suivi de Carini.

Couloirs de l'hôtel et salle de production. Intérieur. Jour.

736-740

Guido et Carini, précédés du garçon d'ascenseur avec les bagages, parcourent le couloir. En passant, Guido s'arrête un instant sur le seuil de la salle de production, et y fait quelques pas.
Là aussi il y a un air de démobilisation. Les photos ont été enlevées des murs, les maquettes gisent par terre, certaines sont déjà cassées, quelques caisses ouvertes sont à moitié pleines d'objets divers.

Due inservienti della produzione, con uno dei giovani aiuti, stanno imballando e raccogliendo le cose. Guardano Guido in un modo strano, seri, non proprio ostili, ma certamente senza simpatia. Guido li saluta.

GUIDO. – Be' arrivederci… Ci ritroviamo presto… la prossima volta…

Uno dei due dice, serrandosi nelle spalle :

INSERVIENTE. – Be', speriamo un po'…

Anche gli altri due lo salutano. Guido esce.

DISSOLVENZA INCROCIATA

Hall. Albergo terme. Interno. Giorno.

741-748

La grande hall è quasi completamente deserta. Fuori, le ultime luci del giorno stanno spegnendosi. Luisa, in abito da viaggio, è seduta su un piccolo divano, in un angolo. Tre o quattro grosse valigie stanno lì accanto. Come vede Guido e Carini uscire dall'ascensore, Luisa si alza, raccoglie la borsetta, la giacca del tailleur, l'ombrellino, mentre il concierge

Deux employés de la production, avec l'un des jeunes assistants, sont en train d'emballer et de ramasser les objets. Ils regardent Guido d'une étrange façon, sérieusement, pas vraiment avec hostilité, mais certainement sans sympathie. Guido les salue.

GUIDO. – Eh bien, au revoir… On se reverra bientôt… à la prochaine…

L'un des deux répond, en haussant les épaules :

UN EMPLOYÉ. – Oui, espérons…

Les deux autres le saluent aussi. Guido sort.

FONDU ENCHAÎNÉ

Hall. Hôtel des thermes. Intérieur. Jour.

741-748

Le grand hall est presque complètement désert. Dehors, les dernières lueurs du jour s'évanouissent. Luisa, en vêtements de voyage, est assise sur un petit divan, dans un coin. Trois ou quatre valises se trouvent là, à côté. Luisa, quand elle voit Guido et Carini sortir de l'ascenseur, se lève, prend son sac, la veste de son tailleur, son parapluie, tandis que le concierge

si fa incontro a Guido e chiede, indicando le valigie :

CONCIERGE. – Faccio caricare ?
GUIDO. – Sì, anche le mie.

Luisa è già uscita in giardino. Il concierge fa un cenno al facchino e al groom, che si affrettano a raccogliere le valigie di Luisa e a seguire il lift che reca quelle di Guido. Anche Guido e Carini escono.

Giardino terme. Esterno. Giorno.
(Effetto tramonto.)

749-758

I facchini e il groom caricano le valigie sul piccolo autobus dell'albergo ; poi si schierano con il concierge, in attesa della mancia. Guido distribuisce le mance, fra gli inchini e i saluti, e intanto dice a Carini :

GUIDO. – Mi spiace lasciarti la noia della macchina... Domani è pronta... Appena arrivi, dammi un colpo di telefono... Vengo io a ritirarla a casa tua... E grazie...

va à la rencontre de Guido et lui demande, en montrant les valises :

LE CONCIERGE. – Je les fais charger ?
GUIDO. – Oui, les miennes aussi.

Luisa est déjà sortie dans le jardin. Le concierge fait un signe au domestique et au groom, qui se hâtent de prendre les valises de Luisa et de suivre le garçon d'ascenseur qui porte celles de Guido. Guido et Carini sortent eux aussi…

Jardin des thermes. Extérieur. Jour.
(Effet coucher de soleil.)

749-758

Les porteurs et le groom chargent les valises sur le petit autobus de l'hôtel ; puis ils s'alignent avec le concierge, attendant les pourboires. Guido distribue les pourboires, au milieu des courbettes et des salutations, et dit entre-temps à Carini :

GUIDO. – Excuse-moi de te laisser le souci de la voiture… Demain elle sera prête… Dès que tu arrives, passe-moi un coup de téléphone… Je viendrai la chercher chez toi… Et merci…

Poi, suo malgrado con sforzo, aggiunge, senza guardarlo :

GUIDO. – … Di tutto…

Carini bacia la mano di Luisa, che sale sulla macchina subito dopo ; stretta la mano a Carini, sale anche Guido. Mentre la macchina sta partendo, Carini fa ancora un cenno di saluto e dice, marcato :

CARINI. – Benissimo… Niente rimorsi… Hai fatto benissimo…

Il piccolo autobus percorre il vialetto deserto, facendo scricchiolare la ghiaia, e infila il cancello, uscendo sulla via.

Strade stazione termale. Esterno. Giorno. (Effetto tramonto.)

La macchina dell'albergo percorre velocemente le strade della cittadina termale. Le insegne luminose sono molto diminuite di numero ; la folla variopinta della stagione di cura è quasi completamente sparita. La piccola città sta riprendendo il suo aspetto provinciale e un po' squallido.

Puis, malgré lui, en faisant un effort, il ajoute, sans le regarder :

GUIDO. – … Pour tout…

Carini baise la main de Luisa, qui monte dans la voiture tout de suite après ; Guido monte lui aussi après avoir serré la main de Carini. Alors que la voiture est en train de partir, Carini fait encore un signe de salutation et dit, de façon insistante :

CARINI. – Très bien… Pas de remords… Tu as très bien fait…

Le petit autobus parcourt l'allée déserte, en faisant crisser le gravier, passe le portail et sort dans la rue.

Rues station thermale. Extérieur. Jour.
(Effet coucher de soleil.)

La voiture de l'hôtel parcourt rapidement les rues de la petite ville thermale. Les enseignes lumineuses ont beaucoup diminué en nombre ; la foule bariolée de la saison de cure a presque complètement disparu. La petite ville reprend son aspect provincial et un peu triste.

Autobus. Interno. Giorno.
(Effetto tramonto.)

764-773

Saliti nell'interno dell'autobus che corre verso la stazione, Guido e Luisa hanno iniziato, e continuato, una discussione amara, ma in tono serrato e pacato.

LUISA. – Non ti sentiresti più libero anche tu ? Sono io, che ti offro di lasciarti completamente libero. Tanto, io non ti sono utile in niente e ti do soltanto fastidio…
GUIDO. – Io non ho mai detto questo. Se fosse così, sarei io a insistere per separarci, no ?

Soggiunge, con un sincero tentativo di cordialità, quasi sorridente :

GUIDO. – Invece sei tu.

Luisa ha un moto di amaro risentimento per questo, che le sembra un tentativo di compromesso superficiale dettato dall'egoismo.

LUISA. – Ma mi sentirei più libera anche io. Guarda, ti prego di pensarci seriamente, perché io avanti così non mi sento di andare. Non è mica piacevole, sai. L'impressione continua di esserti di peso… di obbligarti a mentire… Non ne posso più…

Autobus. Intérieur. Jour.
(Effet coucher de soleil.)

764-773

A l'intérieur de l'autobus qui roule vers la gare, Guido et Luisa poursuivent une discussion amère, serrée mais calme.

LUISA. – Est-ce que tu ne te sentirais pas plus libre, toi aussi ? C'est moi qui te propose de te laisser complètement libre. Puisque je ne suis pour toi d'aucune utilité et que je ne fais que te gêner…
GUIDO. – Je n'ai jamais dit ça. Si c'était vrai, c'est moi qui insisterais pour qu'on se sépare, n'est-ce pas ?

Il ajoute, avec un effort sincère de cordialité, en souriant à demi :

GUIDO. – Alors que c'est toi.

Luisa a un mouvement de ressentiment amer contre ce qui lui semble être une tentative de compromis superficiel dicté par l'égoïsme.

LUISA. – Je me sentirais plus libre, moi aussi. Écoute, je te prie d'y penser sérieusement, parce que moi je ne peux pas continuer comme ça. Ça n'a rien d'agréable, tu sais. L'impression constante d'être un poids… de t'obliger à mentir… Je n'en peux plus…

GUIDO. – Parli come se tu facessi una vita d'inferno per colpa mia. Non mi sembra.
LUISA. – Cosa ne sai ? Non vengo mica a dirtelo tutte le volte che mi sento disperata…

C'è una pausa. Poi Guido riprende :

GUIDO. – Ci separiamo. E poi ? Ne abbiamo già parlato tante volte. Ci separiamo, e poi, cosa facciamo ? Cosa cambierebbe ? Tu saresti sempre mia moglie, io tuo marito. Te ne cercheresti un altro ? Sinceramente, Luisa, ti metteresti con un altro ?

La risposta di Luisa, questa volta, ha un tono quasi aggressivo, che poi diventa amarissimo.

LUISA. – Allora non hai capito niente. Figurati ! È proprio per vivere tranquilla. In pace. Almeno un po' di serenità, se non si può altro. Così, il cuore in pace. Ho sbagliato, chiuso, finito. M'è andata male.

Guido la guarda con pena, come una bambina.

GUIDO. – Da sola ? Ma, Luisa, hai trentasette anni ! Cosa fai, da sola alla tua età ? Dieci, vent'anni da sola… fino a quando diventi vecchia…

GUIDO. – Tu parles comme si tu avais une vie infernale à cause de moi. Je n'en ai pas l'impression.
LUISA. – Qu'en sais-tu ? Je ne viens pas t'embêter chaque fois que je me sens désespérée…

Il y a un silence. Puis Guido reprend :

GUIDO. – Nous nous séparons. Et après ? Nous en avons déjà discuté tant de fois. Nous nous séparons, et après, qu'est-ce qu'on fait ? Qu'est-ce que ça changerait ? Tu serais toujours ma femme, moi ton mari. Tu en chercherais un autre ? Sincèrement, Luisa, pourrais-tu te mettre avec quelqu'un d'autre ?

La réponse de Luisa, cette fois, a un ton presque agressif, qui devient ensuite très amer.

LUISA. – Alors, tu n'as rien compris. Qu'est-ce que tu crois ! C'est justement pour vivre tranquille. En paix. Au moins un peu de sérénité, si on ne peut rien avoir d'autre. Comme ça, j'aurai le cœur en paix. Je me suis trompée, c'est fini, c'est clos. Pour moi, ça s'est mal passé.

Guido la regarde avec peine, comme une fillette.

GUIDO. – Toute seule ? Mais, Luisa, tu as trente-sept ans ! Qu'est-ce que tu vas faire, toute seule, à ton âge ? Dix, vingt ans toute seule… jusqu'au moment où tu deviendras vieille…

LUISA. – Perché, non sono sola adesso ? Che cosa mi dai, tu ? Che cosa ho, in vista ? Posso ricominciare, ecco. Prima che sia troppo tardi. Trovo qualcosa, ricomincio…
GUIDO. – E chi se la sente ? Un'altra vita… Dopo quattordici anni…

S'interrompe perché la macchina si è fermata. Guido apre subito la porta, mentre l'autista, che è già sceso a terra, gli viene incontro. La macchina è ferma davanti alla stazione.
Guido dice frettolosamente all'autista :

GUIDO. – Scarica subito, per favore.

Poi chiama :

GUIDO. – Facchino !…

Pensilina stazione città termale.
Esterno. Notte.

774-780

Ora Guido e Luisa sono sul marciapiede, in attesa del treno. I viaggiatori in partenza non sono molti, cosicché il lungo marciapiede, nell'ombra serale

LUISA. – Pourquoi ? Je ne suis pas seule, maintenant ? Qu'est-ce que tu me donnes, toi ? Qu'est-ce que j'ai comme perspective ? Je peux recommencer, voilà. Avant que ce ne soit trop tard. Je vais trouver quelque chose, je vais recommencer…
GUIDO. – Mais qui en aurait le courage ? Une autre vie… Après quatorze ans…

Il s'interrompt, parce que la voiture s'est arrêtée. Guido ouvre aussitôt la porte, alors que le chauffeur, qui est déjà descendu, vient à sa rencontre. La voiture s'est arrêtée devant la gare.
Guido dit très vite au chauffeur :

GUIDO. – Déchargez les bagages, s'il vous plaît.

Puis il appelle :

GUIDO. – Porteur !…

Marquise gare de la ville thermale.
Extérieur. Nuit.

774-780

Guido et Luisa sont à présent sur le quai, attendant le train. Les voyageurs en partance ne sont pas nombreux, si bien que le quai, long, dans l'ombre du soir

ormai fitta, sembra quasi deserto. Il campanello che segnala l'avvicinarsi del treno suona insistentemente. Guido e Luisa continuano a parlare, ma ora il discorso è fatto a voce ancora più bassa, in un tono sempre più smarrito, angosciato, commosso.

GUIDO. – Non è che ci siamo accoppiati male. Anche se ci fosse il divorzio… Questo è il guaio. Io sono convinto, sai, Luisa, che se anche mi risposassi, non troverei mica una moglie migliore di te. Sarebbe perfettamente eguale, anzi peggio…
LUISA. – Per te, può darsi… Ma io ? Tu pensi solo sempre a te…
GUIDO. – No, vale per me, per te, come per tutti. Cambiare !… Cosa significa ? Sei proprio convinta, tu, che un altro marito… un altro uomo, sarebbe meglio di me ? Forse sì, ma tanto meglio da giustificare la fatica di ricominciare da capo ? La fatica, il rischio, la pena…

Luisa tace un attimo, presa da uno smarrimento profondo, quasi disperato. Poi chiede con la gola stretta :

LUISA. – E allora ?

Lo stesso sconsolato smarrimento c'è nella voce di Guido.

désormais épaisse, semble presque désert. La sonnerie qui indique l'approche du train se fait entendre avec insistance. Guido et Luisa continuent à parler, mais leur conversation se fait maintenant à voix encore plus basse, sur un ton de plus en plus perdu, angoissé, ému.

GUIDO. – Le problème n'est pas d'être mal assortis. Même s'il y avait le divorce… Voilà l'ennui. Je suis sûr, tu sais, Luisa, que même si je me remariais, je ne trouverais pas une femme meilleure que toi. Ce serait exactement la même chose, et même pire…
LUISA. – Pour toi, peut-être… Mais moi ? Tu ne penses toujours qu'à toi…
GUIDO. – Non, c'est valable pour moi, pour toi et pour tout le monde. Changer !… Qu'est-ce que ça veut dire ? Tu es vraiment sûre, toi, qu'un autre mari… un autre homme, serait meilleur que moi ? Peut-être que oui, mais vraiment tellement meilleur que cela puisse justifier la fatigue de recommencer depuis le début ? La fatigue, le risque, la peine…

Luisa reste un instant silencieuse, saisie d'un trouble profond, presque désespéré. Puis, la gorge serrée, elle demande :

LUISA. – Et alors ?

Le même sentiment de trouble affligé est dans la voix de Guido.

GUIDO. – E allora, niente.
LUISA. – Ma è possibile continuare così ? Per quanto tempo ? Sempre così, fino alla fine ?
GUIDO. – Lo so bene che c'è un equivoco. Un grosso equivoco. Bisogna vedere se è colpa nostra…

Il treno è apparso in fondo ai binari e viene avanti veloce, con i fanali accesi, rallentando fino a fermarsi. Nel fragore crescente, Luisa risponde :

LUISA. – Ma io non voglio continuare così !… Fino alla fine, sempre così.

DISSOLVENZA INCROCIATA

Carrozza ristorante. Interno. Notte.

781-800

Guido e Luisa siedono ad un tavolo, in attesa che il pranzo sia servito. Non parlano, sono assorti, ciascuno nei suoi pensieri.
Poche persone stanno all'altro tavolo, c'è su tutto un senso di silenzio e di solitudine. Il treno viaggia a forte velocità.
Guido segue con lo sguardo, oltre i vetri, il rapido apparire e sparire del paesaggio notturno…

GUIDO. – Et alors, rien.
LUISA. – Mais est-il possible de continuer à vivre comme ça ? Pendant combien de temps ? Toujours comme ça, jusqu'à la fin ?
GUIDO. – Je sais bien qu'il y a un malentendu. Un malentendu important. Il faut voir si c'est de notre faute…

Le train est apparu au bout du quai et avance rapidement, phares allumés, ralentissant jusqu'à l'arrêt. Dans le fracas grandissant, Luisa répond :

LUISA. – Mais moi je ne veux pas continuer comme ça !… Jusqu'à la fin, toujours comme ça.

FONDU ENCHAÎNÉ

Wagon-restaurant. Intérieur. Nuit.

781-800

Guido et Luisa sont assis à une table, attendant que le repas soit servi. Ils ne parlent pas, ils sont absorbés, chacun dans leurs pensées.
Peu de personnes sont assises à l'autre table, sur toute chose plane une impression de silence et de solitude. Le train file à grande vitesse.
Guido suit du regard, derrière les vitres, la rapide apparition et disparition du paysage nocturne…

Un gruppo di case illuminate, poi subito di nuovo la campagna buia, sulla quale corre la sagoma del treno con i finestrini illuminati. L'ombra di Guido, deformata, si allunga, si accorcia, sparisce, ricompare...
Una breve galleria inghiotte per qualche istante il treno : il chiarore dei finestrini balla rapidissimo sulle pareti nere, in un fragore di ferraglie, poi torna a proiettarsi sulla campagna...
Più lontano, si distinguono le sagome scure delle montagne, ancora orlate di un chiarore incerto...
In un recinto di legno, appaiono per un istante, fermi come statue nell'ombra, alcuni cavalli...
L'ombra di Guido torna ad allungarsi, a restringersi, a danzare velocissima sui campi deserti...
Guido volge lo sguardo verso l'interno del vagone, distrattamente, si posa su Luisa con intensità. Luisa alza gli occhi ; li fissa in quelli di lui. Uno sguardo che è come una reciproca domanda oltre i vetri ; Luisa volge gli occhi altrove.
E di nuovo le irreali, fantastiche immagini del mondo notturno che il treno sta attraversando velocemente appaiono e spariscono, appaiono e spariscono, al ritmo delle ruote sulle rotaie...

Un groupe de maisons éclairées, puis, tout de suite, à nouveau la campagne dans l'obscurité, sur laquelle court la silhouette du train avec ses fenêtres éclairées. L'ombre de Guido, déformée, s'allonge, se raccourcit, disparaît, réapparaît…
Un court tunnel engloutit le train pendant quelques instants : la lueur des fenêtres danse très rapidement sur les parois noires, dans un fracas de ferraille, puis recommence à se projeter sur la campagne…
Plus loin, on distingue les silhouettes sombres des montagnes, ourlées encore d'une lueur incertaine…
Dans un enclos en bois, des chevaux apparaissent dans l'ombre pendant un instant, aussi immobiles que des statues…
L'ombre de Guido recommence à s'allonger, à raccourcir, à danser très vite sur les champs déserts…
Guido tourne son regard vers l'intérieur du wagon, distraitement, il le pose avec intensité sur Luisa. Celle-ci lève les yeux ; elle les fixe dans les yeux de Guido. Un regard qui est comme une question réciproque, une tentative réciproque de se découvrir…
Guido se remet à regarder au-delà des vitres ; Luisa détourne son regard ailleurs.
Et de nouveau les images irréelles et fantastiques du monde nocturne que le train traverse rapidement apparaissent et disparaissent, apparaissent et disparaissent, au rythme des roues sur les rails…

801-830

Ancora una volta Guido porta lo sguardo verso l'interno del vagone ; ma ora la carrozza, con i suoi tavolini illuminati dagli abat-jour rosa, gli appare lunghissima, irreale come il paesaggio esterno, e i tavolini sono tutti affollati. Una strana folla, quieta, composta, silenziosa : il padre e la madre, il cardinale e la Saraghina, Claudia e Carla, le donne dell' harem e Carini, il fakiro, i telepati e Mezzabotta, tutti i personaggi della vita di Guido, tutti uniti nello stesso viaggio verso la stessa meta, nessuno rifiutabile, nessuno rinnegabile, tutti quietamente sorridenti a Guido come buoni compagni... Il viso di Guido si altera in una commozione profonda, riconoscente. I suoi occhi si illuminano come per una scoperta improvvisa. Si alza in piedi, le sue labbra si muovono come se pronunciasse delle parole rotte, sconnesse... Luisa lo sta guardando stupita, anche il cameriere che si disponeva a servirlo è rimasto col gesto a mezz' aria, interdetto.
Guido, ritto in piedi, il viso illuminato, sta dicendo confusamente, a tutti, al pubblico della platea :

GUIDO. – Sì, sì... È giusto, è giusto... ho capito... è facilissimo... sì tutto... è come se... tutti insieme... io... voi... oddio come spiegarvi ?... Grazie, grazie a

801-830

Encore une fois, Guido porte son regard vers l'intérieur du wagon : mais la voiture, à présent, avec ses petites tables éclairées par les abat-jour roses, lui apparaît très longue, aussi irréelle que le paysage extérieur, et les tables sont toutes occupées. Une foule étrange, tranquille, ordonnée, silencieuse : le père et la mère, le cardinal et la Saraghina, Claudia et Carla, les femmes du harem et Carini, le fakir, les télépathes et Mezzabotta, tous les personnages de la vie de Guido, tous unis dans le même voyage vers la même destination, personne qui puisse être refusé ou renié, tous souriant tranquillement vers Guido comme de bons compagnons… Le visage de Guido s'altère dans une émotion profonde, reconnaissante. Ses yeux s'éclairent comme sous l'effet d'une découverte soudaine. Il se lève, ses lèvres bougent comme s'il prononçait des fragments de mots, sans lien…
Luisa le regarde étonnée, même le garçon qui s'apprêtait à le servir est resté avec le geste en l'air, interdit…
Guido, debout, le visage illuminé, dit confusément s'adressant à tous, au public de la salle :

GUIDO. – Oui, oui… C'est juste, c'est juste… j'ai compris… c'est très facile… oui, tout… c'est comme si… tous ensemble… moi… vous… mon Dieu,

tutti… Bisogna solo che… Non frenate… non opporsi… È facilissimo… è tutto bene… tutto bene… soltanto che…

Poi si interrompe, si guarda attorno, smarrito…

831-841

La carrozza ha ripreso le sue normali dimensioni, il suo aspetto normale ; la folla è sparita, poche persone siedono ai tavolini, Luisa e il cameriere lo stanno guardando interdetti.
Guido, confuso, ma ancora tutto commosso, abbozza un sorriso e torna a sedersi. Rimane a testa china, in uno smarrimento totale e felice, mentre il cameriere lo serve. Poi, quando questi si è allontanato, leva lo sguardo su Luisa.
La percezione che per un istante ha avuto è già svanita come un sogno ; ora egli cerca affettuosamente di chiarirla, riafferrarla, definirla, ma non vi riesce, e tuttavia gliene è rimasta una commozione intensa, felice…
Con moto improvviso, tende la mano sulla tavola e stringe la mano di Luisa. Guarda di nuovo verso il pubblico della platea in un estremo tentativo di comunicare « qualcosa » che è già lontanissima, dimenticata, inafferrabile…

comment vous expliquer ?… Merci, merci à tous… Il faut simplement que… ne freinez pas… ne vous opposez pas… C'est très facile… tout va bien… tout va bien… sauf que…

Puis il s'interrompt, regarde autour de lui, perdu…

831-841

La voiture a repris ses dimensions normales, son aspect normal ; la foule a disparu, quelques personnes sont assises aux tables ; Luisa et le garçon le regardent déconcertés.
Guido, confus, mais encore tout ému, esquisse un sourire et se rassoit. Il reste la tête baissée, dans un égarement total et heureux, pendant que le garçon le sert. Puis, quand celui-ci s'est éloigné, il lève son regard vers Luisa.
La perception qu'il a eue pendant un instant s'est déjà évanouie comme un rêve ; à présent, il cherche fiévreusement à la clarifier, la ressaisir, la définir, mais il n'y parvient pas, et cependant il lui en est resté une émotion heureuse et intense…
Avec un mouvement soudain, il tend la main sur la table et serre la main de Luisa. Il regarde à nouveau vers le public de la salle dans une tentative extrême de communiquer « quelque chose » qui est déjà très lointain, oublié, insaisissable…

Lo schermo si abbuia lentamente e sullo schermo buio si ode soltanto sicuro, grandioso, potente, il ritmo inarrestabile del treno lanciato fiduciosamente dentro la notte.

FINE

L'écran s'assombrit lentement, et sur l'écran sombre on entend seulement le rythme impossible à arrêter, sûr, grandiose et puissant du train lancé avec confiance dans la nuit.

FIN

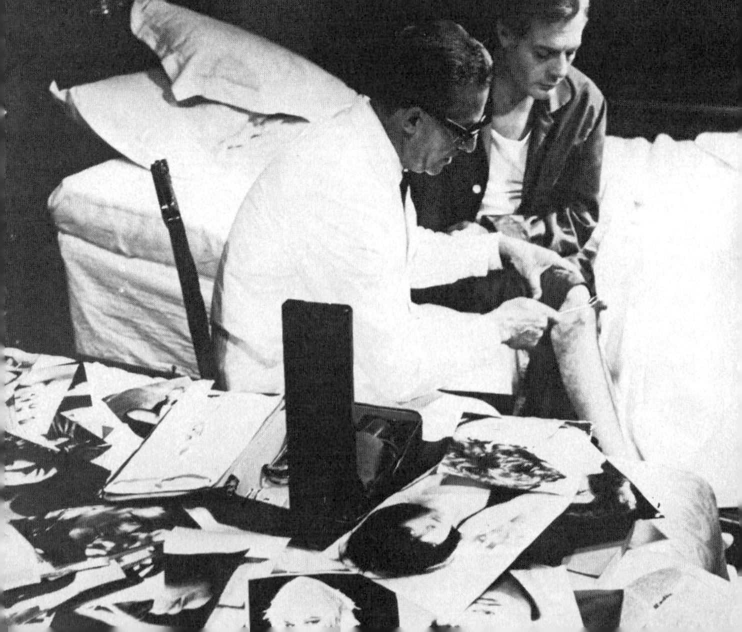

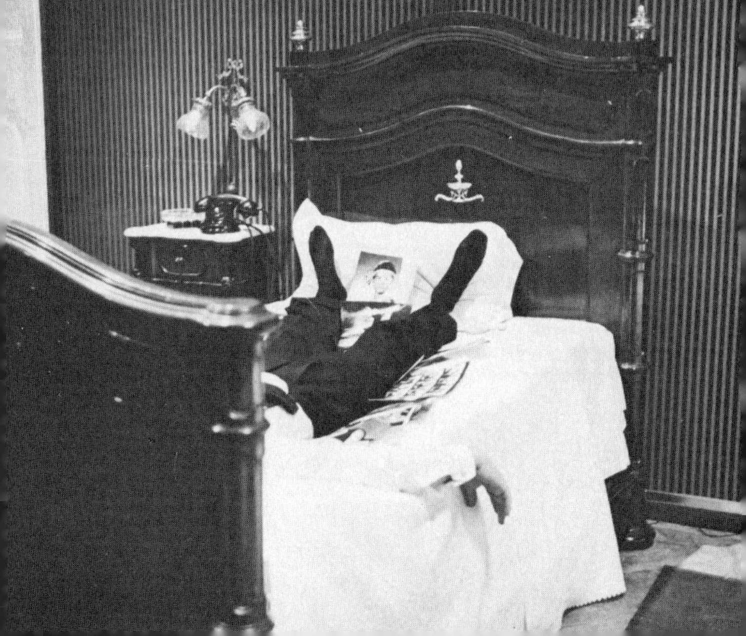

120 020

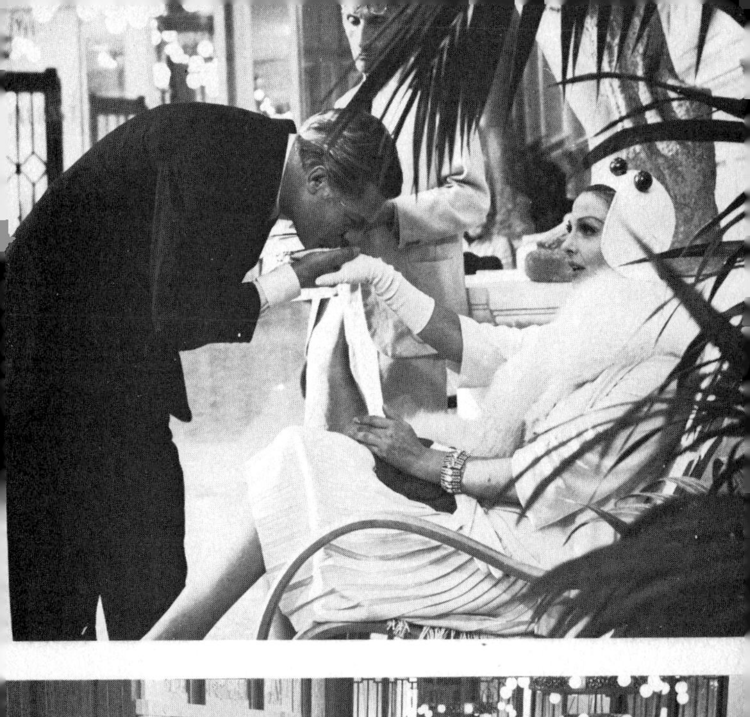

OLLA
ALPOLICELLA

GIORNATA EXTRA
CON

46

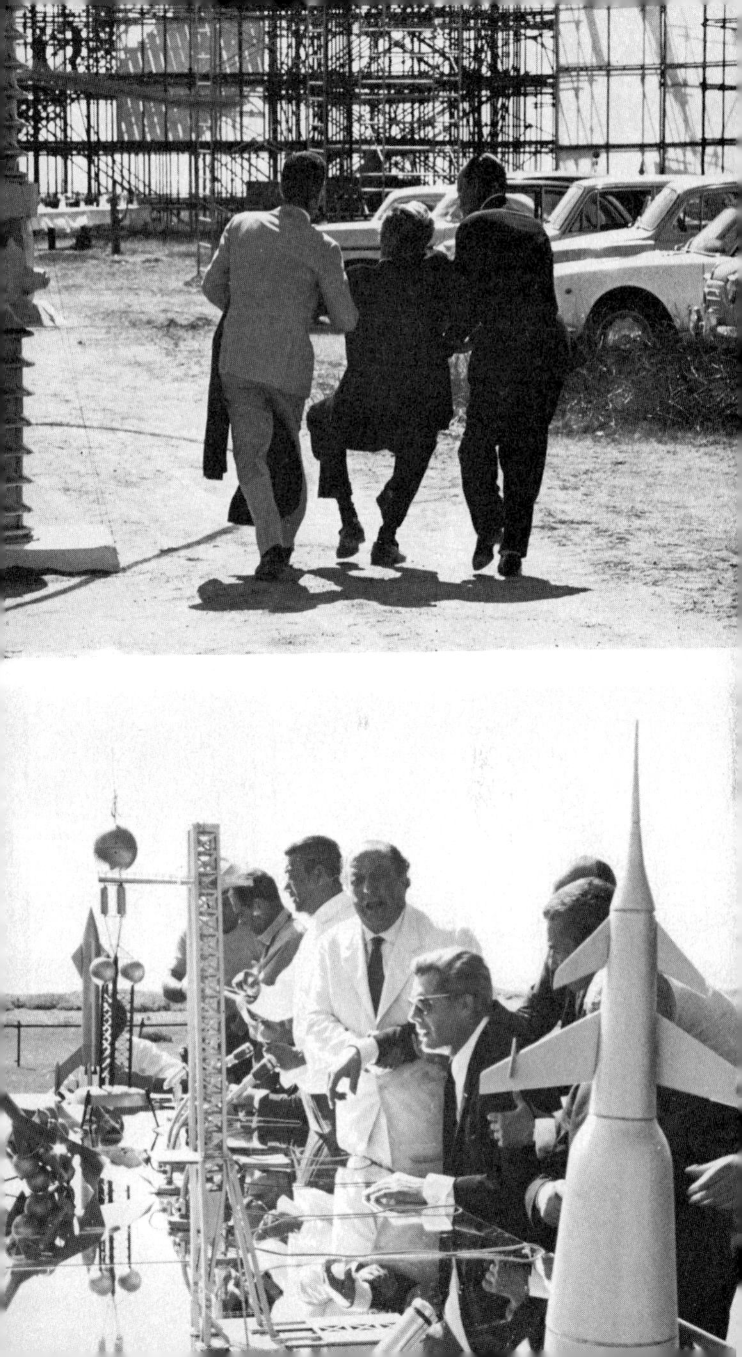

GÉNÉRIQUE

8 1/2

Avec

Marcello Mastroianni – Guido
Anouk Aimée – Luisa
Sandra Milo – Carla
Claudia Cardinale – Claudia

Autres interprètes

Guido Alberti – Pace
Jacqueline Bonbon – la servante
Caterina Boratto – la vision de la belle inconnue
Marisa Colomber, Maria Raimondi – les nourrices
Ian Dallas – Maurice, le télépathe
Rossella Falk – Rossella
Edra Gale – Saraghina
Marco Gemini – Guido enfant
Madeleine Lebeau – la comédienne française
Tino Masini – le cardinal
Roby Nicolosi – le docteur
Annibale Ninchi – le père
Mario Pisu – Mezzabotta
Giuditta Rissone – la mère
Jean Rougeul – Carini
Barbara Steel – Gloria Morin

D'après un sujet de

Federico Fellini, Ennio Flaiano

Scénaristes

Federico Fellini, Tullio Pinelli
Ennio Flaiano, Brunello Rondi

Réalisation
Federico Fellini

Directeur de la photographie
Gianni di Venanzo

Produit par
Angelo Rizolli, Cineriz (Roma), Francinex (Paris)

Cadreur
Pasquale de Santis

Décors et costumes
Piero Gherardi

Régie
Clemente Fracassi

Musique
Nino Rota

Assistants réalisateurs
Guidarino Guidi
Giulio Paradisi
Francesco Aluigi

Montage
Leo Catozzo

Trucage
Otello Fava

Producteur associé
Leo Meniconi

Producteur exécutif
Titanus

Distribution
Columbia – Franfilmdis

RÉALISATION : ATELIER GRAPHIQUE DES ÉDITIONS DE SEPTEMBRE À PARIS
IMPRESSION : MAURY-EUROLIVRES À MANCHECOURT (LOIRET).
DÉPÔT LÉGAL : NOVEMBRE 1996. N° 23535 (96/10/55801)